국제상속은 처음이지 ?

국제상속은 처음이지?

2019년 12월 30일 초판 인쇄
2020년 1월 3일 초판 발행

지 은 이 | 최세영, 신재봉, 박창현, 조덕희, 최현윤, 정옥선
발 행 인 | 송상근
발 행 처 | 삼일인포마인
등록번호 | 1995.6.26.제3-633호
주 소 | 서울특별시 용산구 한강대로 273 용산빌딩 4층
전 화 | 02)3489-3100
팩 스 | 02)3489-3141
가 격 | 30,000원

ISBN 978-89-5942-806-9 93320

국제상속은 처음이지

최세영 · 신재봉 · 박창현 · 조덕희 · 최현윤 · 정옥선

SAMIL | 삼일인포마인

머리말

시대가 달라지고 있습니다.

해외와 국내를 오가며 거주하거나 투자를 하고, 영주권 또는 시민권 내지는 이중국적을 보유하며, 노후에는 해외에 거주하며 보내는 등의 이런 모습들은 이젠 쉽게 볼 수 있는 일들입니다. 재산을 해외와 국내에 동시에 보유하여 어느 나라에 거주하는지 경계가 모호해지는 시대가 왔습니다. 따라서 상속시 국적, 거주자 여부나 재산의 분포 상태에 따라 하나의 나라에서 상속을 하는 것으로 끝나지 않고 양국에서 상속 및 상속 분쟁이 일어나는 경우도 있습니다.

금융정보자동교환, 국외재산조서, 해외부동산 신고, 출국세 등 각국의 세법과 국세청도 끊임없이 국제화 시대에 맞추어 진화하고 있습니다.

이제는 새로운 국제화 시대에 적응해 나가야 합니다.

국제상속은 매우 복잡합니다.

흔히들 상속세는 세법의 총 집합체라 합니다. 상속세는 개인이 평생 이룬 것을 소득세, 법인세, 부가세, 재산세 등을 최종적으로 검증하는 기능을 하기 때문입니다. 상속은 세법뿐만 아니라 민법도 매우 중요합니다. 특히나 국제상속은 그 복잡한 상속에 각국의 민법 및 세법, 외환 관련법까지 연결이 되어 있습니다.

그래서 이 책은 해외대사관에서 근무하는 현직 참사관, 국제상속 경험이 풍부한 세무사, 일본 현지 세법에 능통한 세리사, 민법에 정통한 변호사가 다 같이 고민하여 국제상속에 관한 내용을 집필하게 되었습니다. 각 저자들이 다양한 실무를 하면서 복잡하고 답답했던 부분을 잘 정리하여 많은 독자분들께 전달하고자 하였습니다.

국제상속은 각국의 세법 및 규정이 다양하고 복잡하여 곳곳에 실수하기 쉬운 함정이 도사리고 있어서 정확한 판단과 꼼꼼한 주의를 필요로 합니다. 이러한 문제점을 인지하여 실수를 미연에 방지하고, 더 나아가 협의분할 형태 등을 통한 합법적인 절세 방안도 고민해 나아가야 합니다.

상속은 대부분 처음 겪게 됩니다.

평생 한 번 또는 두 번 겪는 것이 일반적입니다. 그래서 평상시엔 크게 관심을 두지 않고 있다가 갑자기 상황이 닥쳐서, 돌이킬 수 없는 실수를 하거나 급하게 재산을 매각하여 금전적으로 큰 손해를 보게 될 수도 있습니다. 부모가 평생 일군 재산을 제대로 승계하지 못할 수도 있고, 가족 간의 불화로 가슴 아픈 일이 발생할 수도 있습니다.

저자들은 독자가 처음 겪을 국제상속이기에 국제상속 발생 전, 발생, 신고, 신고 후, 상속 후 처분까지 흐름을 잡아서 이해하기 쉽고 전달이 잘 되도록 노력하였고, 국내에 기존 관련 책이 없는 국제상속에 관한 책이라 더욱 주의를 기울여서 집필하였습니다.

독자들에게 복잡한 내용을 최대한 쉽게 전달하기 위하여 사례를 통해 이해를 돕고자 하였으나, 난해한 부분을 잘 전달하지 못하거나 내용이 부족하지 않을까 하는 두려움도 있습니다.

본 책자의 출판을 위해 힘써주신 삼일인포마인 송상근 대표이사님과 조원오 전무님, 조윤식 이사님, 작품을 만들어 주신 편집부 직원분들께 감사드리며, 바쁜 시간을 쪼개고 밤잠 줄여가며 노력해주신 공동 집필자분들께 깊은 감사를 드립니다.

마지막으로 독자분들의 솔직한 비판과 애정어린 조언을 기대하며, 이를 계기로 더욱 좋은 책을 만들기 위해 노력할 것을 약속드립니다.

2019. 12.

공동 저자 씀

I 국제 상속이 발생하기 전에…알아두자

국제 상속이 발생하면…확인하자

Ⅳ 상속세 신고를 한 후…다시 보자

양국의 부동산을 매각할 때…잊지 말자

[Reference]

PART I

국제 상속이 발생하기 전에… 알아두자

1. 배우자도 몰래 만든 한국 통장내역, 일본 국세청은 알고 있을까?
2. 한국의 부동산과 예금에 대해 매년 일본 국세청에 신고해야 하나?
3. 일본 예금내역을 한국 국세청에 신고해야 하나?
4. 해외부동산 내역도 한국 국세청에 신고해야 하나?
5. 계좌이체한 내역을 한국과 일본 국세청에서 알고 있을까?
6. 거주지국의 민법대로 상속수속을 할 수 있을까?
7. 일본에서 작성한 유언장으로 한국에서 소유권이전등기신청을 하고 싶다
8. 일본 국적 취득 후 사망하면 일본 민법의 법정상속분에 의할까?
9. 일본인 나처 씨에게 상속권이 인정될 수 있을까?
10. 신탁하면 세금이 줄어들까?
11. 나국제 씨는 또 증여세를 내야 하나?
12. 어느 나라의 재산을 증여해야 하나?
13. 상속세를 피해 상속세율이 낮은 제3국으로 가면 절세가 되는 것은 아닌지?

배우자도 몰래 만든 한국 통장내역, 일본 국세청은 알고 있을까?

재일동포인 나국제 씨는 한국으로 여행과 출장을 자주 가고 있습니다. 나국제 씨는 한국에 갈 때마다 매번 원화로 환전하는 것이 번거로워서 한국 금융기관에 원화계좌를 만들어서 이용하려고 합니다. 예금잔액은 1,000만 원 정도를 유지할 계획이고, 이 자금들은 일본 국세청에는 모두 정상적으로 소득세 신고된 금액입니다. 그러나, 사실 이 계좌는 나국제 씨의 배우자 몰래 한국에서 쓸 수 있는 개인 비자금의 용도로 만든 것입니다.

나국제 씨는 한국에 배우자 몰래 개설한 통장내역을 일본 국세청에서 알 수 있는지 궁금해졌습니다. 나국제 씨의 한국 통장내역을 일본 국세청에서 알 수 있을까요?

거주자가 타국에 보유하고 있는 금융계좌의 잔액내역을 국세청 간 상호교환하는 금융정보자동교환 제도가 2018년(한국과 일본의 경우)부터 시행되고 있습니다.

•••

원칙적으로 한국에서 금융계좌내역은 금융실명거래 및 비밀보장에 관한 법률에 따라 철저히 비밀보장이 되고 있어서 국세청에서도 세무조사, 체납집행 등에 한정하여 조회가 가능합니다.

따라서, 종전에는 상대방 국가의 국세청에서 특정인을 세무조사 등의 필요에 따라 한일조세조약의 요건을 갖추어 요청하는 경우에 한하여 금융계좌내역을 상대방 국세청에 제공했었습니다. 과거의 경우라면 나국제 씨의 경우에는 일본 국세청에서 나국제 씨를 세무조사하면서, 한국 국세청에 조세조약에 따라 정보교환을 요청하지 않으면 일본 국세청은 한국 금융계좌가 있는지 여부를 정확하게 알 수 없었습니다.

그러나, 이러한 사정이 2018년부터 달라졌습니다. 금융정보자동교환 제도가 생겼기 때문입니다. 금융정보자동교환 제도란, 상대방 거주자가 보유한 자국의 금융계좌내역을 국세청 간에 자동적으로 교환하는 제도로서 한국과 일본의 경우 2018년 9월부터 시행되고 있습니다.

2013년부터 OECD 및 G20 국가들을 중심으로 각국에 납세 의무가 있는 납세자의 금융정보를 교환하기 위한 다자간 금융정보자동교환 협정(MCAA; Multilateral Competent Authority Agreement on Automatic Exchange of Financial Account Information)이 추진되었고, 우리나라는 2014년 10월 '다자간 금융정보자동교환 협정'에 서명함에 따라, 2016년 기준 금융정보를 다자간 금융정보자동교환 협정을 맺은 국가의 국세청과 2017년 9월부터 교환하고 있습니다. 다만, 국가별로 시행시기는 차이가 있어 한국과 일본의 경우에는 2018년 9월부터 실시되고 있는 것입니다. 금융정보자동교환 제도는 다자간 협정에 서명한 모든 국가들이 시행하는 것으로, 한국과 일본만 실시하는 것이 아니라 100여 개의 국가와 속령에서 모두 시행하고 있습니다.

금융정보자동교환 제도는 OECD에서 효율적 집행을 위해 금융계좌 보고기준과 고객 실사 절차 등을 규정한 공통보고기준(CRS; Common Reporting Standard)을 바탕으로 이루어집니다. 공통보고기준에 따르면, 계좌 보유자(실질적 지배자 포함)를 식별하기 위한 정보로서 이름, 주소, 거주지관할권, 납세자번호, 생년월일을 기재해야 하며, 계좌번호, 연도말 계좌잔액 및 계좌해지정보 등이 교환되도록 하고 있습니다. 자동교환 대상이 되는 계좌의 금액 제한은 없어서 연도말 계좌잔액이 단돈 1원만 예금되어 있는 경우에도 금융정보가 자동으로 교환되게 되므로 유의할 필요가 있습니다.

따라서, 나국제 씨는 일본 거주자가 한국 금융기관에 계좌를 가지고 있는 경우로서 잔액과 상관없이 한국 금융기관에서 한국 국세청으로 성명, 납세자번호 등의 식별정보와 계좌번호, 연도말 계좌잔액을 보고하게 되고, 한국 국세청은 다음 연도 9월에 일본 국세청으로 해당 금융정보를 자동으로 교환하여 일본 국세청은 나국제 씨의 한국계좌의 전년도말 잔액 정보를 알게 되는 것입니다.

그러나, 이러한 정보를 일본 국세청에서 알고 있다고 하더라도 나국제 씨 같은 경우에는 걱정할 일이 없습니다. 이 정보를 본인, 배우자 등을 포함한 외부에 공개하지 않기 때문입니다. 더군다나, 나국제 씨는 정상적으로 일본 국세청에 신고된 소득으로 금융계좌를 개설하였기 때문에 세금 문제는 발생할 것이 전혀 없습니다.

앞으로 다른 국가의 금융계좌를 갖고 있는 분이라면 새로 신설된 금융정보자동교환 제도를 이해하고, 세무전문가와 상의하여 국가간의 자금을 관리하는 일도 중요해졌습니다.

한국의 부동산과 예금에 대해 매년 일본 국세청에 신고해야 하나?

재일동포인 나국제 씨는 일본 거주자로, 일본에서 사업을 하며 가족과 함께 살고 있습니다. 요새 일본에서의 사업이 잘 되어 목돈을 모았는데, 한국의 부동산 투자수익이 좋다고 하여 일본에서 번 소득으로 한국에 7억 원짜리 아파트를 구매했습니다. 하지만, 아파트 취득가액 7억 원 중 4억 원은 세입자의 전세금이고, 1억 원은 은행에서 대출받아 구매하였기 때문에 실 투자액은 2억 원이었습니다.
그리고, 모국인 한국에는 가끔 친지방문 및 여행을 가느라 한국에 있는 은행에 계좌도 만들어서 3천만 원의 목돈도 입금해 놓았습니다.

나국제 씨는 외국에 보유한 재산내역은 일본 국세청에 매년 신고해야 한다고 들었는데, 나국제 씨도 한국의 부동산과 예금 내역을 일본 국세청에 신고해야 할까요?

과거 10년 동안 5년 이상 일본에 살고 있는 일본 거주자는 매년 12월 31일을 기준으로 일본 이외의 국외재산의 합계액이 5천만 엔을 초과할 경우 국외재산조서를 작성하여 익년 3월 15일까지 일본 국세청에 신고해야 합니다.

•••

일본에는 2014년부터 국외재산조서 제출제도가 신설되었습니다. 국외재산조서 제출제도는 국적 등과는 관계없이 일본 세법상 거주자에 해당될 경우에 제출의무가 있습니다. 다만, 일본 국적이 아닌 외국 국적을 소지한 경우에는 과거 10년간 5년 이상을 일본에 주소 등을 보유하여 거주자가 된 경우에만 제출의무가 있습니다.

대상 재산은 국외에 있는 토지, 건물, 현금, 예금, 유가증권, 대부금, 서화, 골동품, 귀금속 등 금전으로 환산 가능한 경제적 가치가 있는 모든 재산이 신고대상입니다. 주의할 점은 해당 자산 취득에 필요한 채무는 고려하지 않으므로, 만약 외국에서 1억 엔을 차입해서 그 자금으로 외국 부동산 1억 엔을 보유했다고 해도 총자산인 1억 엔의 부동산이 신고대상 재산이 됩니다.

국외재산의 평가가액은 연도말 시가 또는 시가에 준하는 견적가격(見積價格)으로 평가하며, 대고객전신매입시세(TTB; Telegraphic

Transfer Buying Rate) 환율로 엔화로 환산하여 계산합니다.

국외재산조서 제출제도는 국외에 소재한 재산을 파악하기 위해 도입된 제도로 해당 제도 자체만으로 별도의 세금이 발생하는 것은 아니며, 재산 내역만 제출하면 되나 국외재산조서 제출 대상자임에도 미제출하거나 허위제출한 경우에는 세법상 제재가 발생합니다.

국외재산조서가 기한 내 제출되지 않았거나 제출된 조서에 국외재산이 누락되어 있는 경우에는 해당 국외재산에 대한 소득세 또는 상속세 세무조사 시 과소신고가산세 또는 무신고 가산세의 대상이 되는 본세에 5% 금액을 가산하게 되어 소득세 또는 상속세의 부담이 많아지게 됩니다. 또한, 국외재산조서를 허위기재하거나, 정당한 이유없이 제출하지 않는 경우에는 1년 이하의 징역 또는 50만 엔 이하의 벌금을 부과할 수도 있습니다.

반대로, 국외재산조서 제출을 제대로 한 경우에는 추후 세무조사에서 소득세 또는 상속세 신고에서 해당 재산을 누락하였다 하더라도 해당 국외재산에 따른 과소신고가산세 또는 무신고 가산세의 대상이 되는 본세에 5% 금액을 공제하여 세부담이 줄게 됩니다.

따라서, 나국제 씨는 5년 이상 일본에서 거주하고 있었다면, 한국의 아파트 실투자액이 2억 원이라 하더라도 아파트 7억 원, 예금 3천만 원으로 총 국외재산이 7억 3천만 원이므로 일본 국세청에 매년 3월 15일까지 국외재산조서 제출 신고를 해야 합니다.

일본 예금내역을 한국 국세청에 신고해야 하나?

한국에 거주하고 있는 국증여 씨는 일본에 있는 아버지로부터 일본에서 현금 7천만 엔을 증여받은 적이 있습니다. 증여받은 엔화현금은 일본에 있는 시중은행에 입금하여 국증여 씨의 일본 여행경비 등으로 사용하고 있으며, 증여를 받았을 당시에는 한국과 일본 세법에 능통한 세무대리인의 도움을 받아 한국과 일본에 모두 증여세를 정상신고하고 잘 지내고 있었습니다.

그러던 어느 날, 오랜만에 한국에 놀러 온 재일동포 나국제 씨와의 술자리에서 일본에는 국외재산조서라는 제도가 있어서 5천만 엔이 넘는 국외재산에 대해서는 일본 국세청에 신고해야 한다는 이야기를 들었습니다. 집에 돌아온 국증여 씨는 한국 국세청에도 일본 재산내역을 신고해야 하는지 걱정이 되기 시작했습니다.

국증여 씨는 한국 국세청에 일본에 있는 예금 내역을 신고해야 할까요?

한국에는 해외금융계좌 잔액을 기준으로 합계금액이 5억 원을 초과하는 경우, 다음 연도 6월까지 해외금융계좌 내역을 신고해야 합니다.

•••

일본의 국외재산조서 제도는 국외에 보유하고 있는 모든 재산의 총액을 기준으로 5천만 엔 초과시에 국외재산내역을 국세청에 신고하는 반면에, 한국에서 일본과 유사하게 국세청에 해외재산내역을 신고하는 제도는 해외금융계좌 신고제도가 있습니다.

한국의 해외금융계좌 신고제도는 연간 매월 말일 중 어느 하루라도 보유한 해외금융계좌의 전체 잔액 합계액이 5억 원을 초과하는 경우에 다음 연도 6월에 해외 보유계좌내역을 신고하는 제도입니다.

신고의무자는 해당 연도 종료일(12월 31일) 현재 거주자 또는 내국법인입니다. 다만, 재외국민(해외 영주권 취득자 또는 영주할 목적으로 외국에 거주하는 자)의 경우, 신고대상연도 종료일로부터 1년 전에 한국 국내에 거소를 둔 기간이 183일을 초과하는 자만 해당되고, 대한민국 국적이 아닌 외국인의 경우에는 신고대상연도 종료일 10년 전부터 한국 국내에 주소 또는 거소를 둔 기간의 합계가 5년을 초과하는 경우에만 신고대상입니다. 신고대상은 매월 말일 중 보유계좌 잔액의 합계액이 가장 큰 날 현재 보유하고 있는 예금, 적금, 보험, 펀드 등 모든 해외금융계좌에 보유한 자산내역입니다.

해외금융계좌 신고대상에 해당됨에도 신고를 하지 않을 경우에는 미신고 또는 과소신고 금액의 20% 이하의 과태료를 부과하며, 미(과소)신고금액이 50억 원을 초과하는 경우에는 인적사항을 공개하고, 통고처분이나 2년 이하의 징역 또는 미(과소)신고금액의 13% 이상 20% 이하의 벌금을 부과할 수 있으니 주의가 필요합니다.

구체적인 해외금융자산 신고기준금액(5억 원) 계산 방식은 예금, 적금의 경우에는 잔액, 상장 주식 및 예탁증서는 매월 말일 종료시각 현재의 수량과 최종가격을 곱하여 계산하며, 집합투자증권은 기준가격, 보험상품은 매월 말일의 종료시간 현재의 납입금액으로 해외금융계좌의 자산가액을 산정합니다. 산정된 자산가액에 일별 기준환율 또는 재정환율로 각각 환산한 후 합산하여 계산하게 됩니다.

일본에 7천만 엔의 해외금융계좌를 보유하고 있는 국증여 씨는 해외금융계좌 잔액의 합계가 원화로 환산하여 5억 원을 넘는 금액이라면 해외금융계좌 신고를 해야 과태료 등의 불이익을 받지 않으므로, 세무전문가와 상담하여 반드시 신고해야 합니다.

더군다나, 2018년부터는 한국과 일본 국세청 간에 자국의 거주자가 보유한 상대방 국가의 금융계좌내역을 자동적으로 교환하는 금융정보자동교환 제도가 시행되고 있으므로, 한국 국세청에서는 한국 거주자인 국증여 씨의 일본 금융계좌의 연말 잔액을 알고 있게 됩니다. 해외에 금융계좌를 가지고 계신 분들은 해외금융계좌 신고에 보다 신경을 쓰셔야 합니다.

[법적 근거]

국제조세조정에 관한 법률

제34조(해외금융계좌의 신고) ① 해외금융회사에 개설된 해외금융계좌를 보유한 거주자 및 내국법인 중에서 해당 연도의 매월 말일 중 어느 하루의 보유계좌잔액(보유계좌가 복수인 경우에는 각 계좌잔액을 합산한다)이 대통령령으로 정하는 금액을 초과하는 자(이하 이 장에서 "신고의무자"라 한다)는 다음 각호의 정보(이하 이 장에서 "해외금융계좌정보"라 한다)를 다음 연도 6월 1일부터 30일까지 납세지 관할 세무서장에게 신고하여야 한다.

1. 보유자의 성명 · 주소 등 신원에 관한 정보
2. 계좌번호, 금융회사의 이름, 매월 말일의 보유계좌잔액의 최고금액 등 보유계좌에 관한 정보
3. 제4항에 따른 해외금융계좌 관련자에 관한 정보

제35조(해외금융계좌 신고의무 불이행 등에 대한 과태료) ① 제34조 제1항에 따라 신고의무자가 신고기한 내에 해외금융계좌정보를 신고하지 아니하거나 과소 신고한 경우에는 다음 각호에 따라 계산한 금액의 100분의 20 이하에 상당하는 과태료를 부과한다.

1. 신고를 하지 아니한 경우: 미신고 금액
2. 과소 신고한 경우: 실제 신고한 금액과 신고하여야 할 금액과의 차액

② 제34조의 3 제2항에 따라 신고의무자가 신고의무 위반금액의 출처에 대하여 소명하지 아니하거나 거짓으로 소명한 경우에는 소명하지 아니하거나 거짓으로 소명한 금액의 100분의 20에 상당하는 과태료를 부과한다. 다만, 천재지변 등 대통령령으로 정하는 정당한 사유가 있는 경우에는 부과하지 아니한다.
③ 제1항과 제2항에 따른 과태료는 대통령령으로 정하는 바에 따라 과세당국이 부과 · 징수한다.
④ 「조세범 처벌법」 제16조 제1항에 따라 처벌되는 경우에는 제1항에 따른 과태료를 부과하지 아니한다.

국제조세조정에 관한 법률 시행령
제49조(해외금융계좌의 신고 등) ① 법 제34조 제1항 각호 외의 부분에서 "대통령령으로 정하는 금액"이란 5억 원을 말한다.

해외부동산 내역도 한국 국세청에 신고해야 하나?

한국에 거주하고 있는 국증여 씨는 한국에서의 사업이 잘되어서 돈을 많이 모았습니다. 국증여 씨는 투자목적으로 일본에 있는 부동산을 구매하려고 합니다.

일본의 부동산을 취득한 경우, 국증여 씨는 한국 국세청에 신고해야 할까요?

한국에서 취득가액 2억 원 이상의 해외부동산을 취득한 경우에는 다음 연도 5월 종합소득세 신고기간에 한국 국세청에 신고해야 합니다.

•••

국내 거주자가 해외부동산을 취득, 처분 등을 하는 경우에는 신고해야 하는 곳이 2군데 입니다. 하나는 한국은행 또는 지정거래외국환은행이며, 또 다른 하나는 국세청입니다.

먼저, 외국환거래규정에 따른 한국은행 또는 지정거래외국환은행부터 알아보겠습니다. 국내 거주자가 해외부동산을 취득하거나 처분하는 경우 등에는 외국환거래규정에 따라 한국은행 총재 및 외국환은행장에게 신고 · 수리하는 해외부동산 신고제도가 있습니다. 해외부동산 취득 시에는 부동산 취득대금 송금 후 3개월 이내에 해외부동산 취득 보고서를 제출해야 하고, 보유하고 있는 중에도 2년마다 취득부동산의 계속 보유 여부를 증명하기 위해 수시보고서를 제출하여야 합니다. 또한, 해외부동산을 처분했을 때에도 해외부동산처분(변경)보고서를 처분(변경) 후 3개월 이내에 제출해야 합니다. 이를 위반하게 되면 외국환거래법에서는 "자본거래 미신고"로 판단하게 되며, 처벌 및 과태료 부과 등을 받을 수 있습니다.

처벌수준은 미신고금액에 따라 다르며, 미신고금액이 10억 원을 초과하는 경우에는 1년 이하의 징역 또는 1억 원 이상의 벌금, 미신고금액이 미화 2만 달러 초과 10억 원 이하인 경우에는 100만 원과 위반금액의 100분의 2 중 큰 금액의 과태료를 부과받을 수 있습니다. 또한, 미신고금액이 미화 2달러 이하의 경우에도 외환거래 경고 등을 받게 되므로 유의할 필요가 있습니다.

[법적 근거]

외국환거래규정

제9-38조(신고수리요건의 심사) 거주자의 외국에 있는 부동산 또는 이에 관한 권리의 취득과 관련하여 한국은행총재 또는 지정거래외국환은행의 장은 외국부동산 취득 신고가 있는 경우에는 다음 각호의 1의 사항을 심사하여 수리여부를 결정하여야 한다.

1. 외국에 있는 부동산 또는 이에 관한 물권 · 임차권 기타 이와 유사한 권리(이하 이 관에서 “권리”라 한다)를 취득하고자 하는 자가 다음 각목의 1에 해당하는 자가 아닌지 여부
   가. 「신용정보의이용및보호에관한법률」에 의한 금융거래 등 상거래에 있어서 약정한 기일 내에 채무를 변제하지 아니한 자로서 종합신용정보집중기관에 등록된 자
   나. 조세체납자
   다. 해외이주수속 중인 개인 또는 개인사업자
2. 부동산취득금액이 현지금융기관 및 감정기관 등에서 적당하다고 인정하는 수준인지 여부
3. 부동산취득이 해외사업활동 및 거주목적 등 실제 사용목적에 적합한지 여부

제9-39조(신고수리절차) ① 거주자가 외국에 있는 부동산 또는 이에 관한 권리를 취득하고자 하는 경우로서 다음 각호의 1에 해당하는 경우에는 신고를 요하지 아니한다.

1. 외국환업무취급기관이 해외지사의 설치 및 운영에 직접 필요한 부동산의 소유권 또는 임차권을 취득하는 경우(당해 해외지점의 여신회수를 위한 담보권의 실행으로 인한 취득을 포함한다)
2. 거주자가 비거주자로부터 상속 · 유증 · 증여로 인하여 부동산에 관한 권리를 취득하는 경우
3. 정부가 외국에 있는 비거주자로부터 부동산 또는 이에 관한 권리를 취득하는 경우
4. 외국인거주자와 법 제3조 제1항 제15호 단서의 규정에 해당하는 거주자가 법 또는 영의 적용을 받는 거래 이외의 거래에 의하여 외국에 있는 부동산 또는 이에 관한 권리를 취득하는 경우
5. 외국환업무취급기관이 외국환업무를 영위함에 따라 해외소재 부동산을 담보로 취득하는 경우
6. 「부동산투자회사법」에 의한 부동산투자회사, 「자본시장과 금융투자업에 관한 법률」에 의한 금융투자업자가 당해 법령이 정한 바에 의하여 외국에 있는 부동산 또는 이에 관한 권리를 취득하는 경우
7. 법률에 따라 설립된 기금을 관리 · 운용하는 법인 및 「국민연금법」 제102조 제5항에 따라 국민연금기금의 관리 · 운용에 관한 업무를 위탁받은 법인이 당해 법령에 따라 해외자산운용목적으로 부동산을 매매 또는 임대하기 위한 경우
8. 다음 각목의 1에 해당하는 자가 해외자산운용목적으로 부동산을 매매 또는 임대하기 위한 경우로서 다음 각목의 1에서 정하는 범위 내에서 외국에 있는 부동산 또는 이에 관한 권리를 취득하는 경우

   가. 은행, 보험회사, 종합금융회사: 당해기관의 관련 법령이나 규정 등에서 정한 범위 내

나. 〈기획재정부고시 제2012-5호, 2012. 4. 16. 삭제〉

9. 해외체재자 및 해외유학생이 본인 거주 목적으로 외국에 있는 부동산을 임차하는 경우

10. 외국에 있는 부동산을 임차하는 경우(임차보증금이 미화 1만 불 이하인 경우에 한한다)

② 제1항의 규정에 해당하는 경우를 제외하고 거주자가 다음 각호의 1에 해당하는 외국에 있는 부동산 또는 이에 관한 권리를 취득하고자 하는 경우에는 별지 제9-12호 서식의 부동산취득신고(수리)서를 작성하여 지정거래외국환은행의 장에게 신고하여 수리를 받아야 한다.

1. 거주자가 주거 이외의 목적으로 외국에 있는 부동산을 취득하는 경우
2. 거주자 본인 또는 거주자의 배우자가 해외에서 체재할 목적으로 주거용 주택을 취득하는 경우(거주자의 배우자 명의의 취득을 포함한다)
3. 외국에 있는 부동산을 임차하는 경우(임차보증금이 미화 1만 불 초과인 경우로 한한다)

③ 제2항의 규정에도 불구하고 거주자가 외국부동산 매매계약이 확정되기 이전에 지정거래외국환은행의 장으로부터 내신고수리를 받은 경우에는 취득 예정금액의 100분의 10 이내에서 외국부동산 취득대금을 지급할 수 있다. 이 경우 내신고수리를 받은 날로부터 3개월 이내에 제2항의 규정에 의하여 신고하여 수리를 받거나, 지급한 자금을 국내로 회수하여야 한다.

④ 제1항 및 제2항에 규정된 경우를 제외하고 거주자가 외국에 있는 부동산 또는 이에 관한 권리를 취득하고자 하는 경우에는 별지 제9-12호 서식의 부동산취득신고(수리)서를 작성하여 한국은행총재에게 신고하여 수리를 받아야 한다.

⑤ 이 절의 규정에 의한 부동산 또는 이에 관한 권리의 취득에 관하여는 이 절에서 별도로 규정한 경우를 제외하고는 제9-4조 및 제9-6조를 준용한다.

⑥ 제5항에도 불구하고 개인투자자가 영주권, 시민권을 취득한 경우에는 제9-4조, 제9-6조 및 제9-40조의 규정은 적용하지 아니한다. 다만, 영주권을 취득한 개인투자자가 이후 국내에 체재하여 거주자가 된 경우에는 그러하지 아니하다.

제9-40조(사후관리) ① 한국은행총재 또는 지정거래외국환은행의 장은 제9-39조 제2항 및 제4항의 규정에 의한 거주자의 외국에 있는 부동산 또는 이에 관한 권리 취득에 대한 신고수리 내용을 매익월 20일까지 국세청장, 관세청장 및 금융감독원장에게 통보하여야 한다.
② 제9-39조 제2항 및 제4항의 규정에 의한 신고수리를 받아 외국에 있는 부동산 또는 이에 관한 권리를 취득한 자는 다음 각호의 보고서를 한국은행총재 또는 지정거래외국환은행의 장에게 제출하여야 하며, 한국은행총재 또는 지정거래외국환은행의 장은 제1호 및 제2호의 보고서를 제출받은 날이 속하는 달의 익월 말일까지 국세청장, 관세청장 및 금융감독원장에게 제출하여야 한다. 다만, 신고인의 소재불명 등으로 다음 각호의 보고서를 제출받는 것이 불가능할 경우에는 예외로 하며, 이 경우 한국은행총재 또는 지정거래외국환은행의 장은 국세청장, 관세청장 및 금융감독원장에게 소재불명 등의 사실을 통보하여야 한다.

1. 해외부동산취득보고서: 부동산 취득대금 송금 후 3월 이내
2. 해외부동산처분(변경)보고서: 부동산 처분(변경) 후 3월 이내. 다만, 3월 이내에 처분대금을 수령하는 경우에는 수령하는 시점
3. 수시보고서: 한국은행총재 또는 지정거래외국환은행의 장이 취득부동산의 계속 보유여부의 증명 등 사후관리에 필요하다고 인정하여 요구하는 경우

다음으로, 소득세법에 따른 국세청(세무서) 신고에 대해 알아보겠습니다. 국세청에의 해외부동산 신고의무는 2014년부터 신설된 제도로서 최근 미신고에 대한 제재가 강화되었으므로 주의할 필요가 있습니

다. 취득가액 또는 처분가액 2억 원 이상의 해외부동산을 취득 · 보유(임대 등 투자운용을 하는 경우) · 처분하는 경우에는 다음 연도 5월 종합소득세 신고기간에 "해외부동산 취득 · 투자운용(임대) 및 처분 명세서"를 제출해야 합니다. 2019년 전까지는 기준금액 2억 원의 가액기준이 없어서 모든 해외부동산을 신고해야 했으며, 처분한 경우에는 처분내역 신고의무가 없었으나, 2019년에 취득 · 투자운용(임대) 및 처분한 경우에는 기준금액 2억 원 이상의 부동산만 신고하면 되는 것으로 신고기준금액이 신설되었으며, 처분한 경우에도 신고하는 것으로 변경되었습니다.

미신고의 과태료도 크게 인상되었습니다. 2019년까지는 과태료 5천만 원을 한도로 취득가액의 1%의 과태료를 부과하였으나, 2020년 미신고부터는 과태료 1억 원을 한도로 하여 취득가액 · 투자운용(임대)소득 및 처분가액의 10%의 과태료로 크게 인상되었습니다. 다만, 2020년 신고부터는 과태료가 부과되는 과태료 부과 산정방식이 변경되어, 취득 및 처분시의 과태료는 취득가액 및 양도가액에서 외국환거래법에 따라 한국은행 및 외국환은행에 신고 · 보고한 금액을 제외하고 과태료를 계산하며, 투자운용현황 미신고의 과태료는 해외부동산의 임대소득을 기준으로 10%를 계산하게 됩니다.

외국환거래법과 세법의 해외부동산의 신고 대상자와 신고 대상 부동산이 약간씩은 차이가 있으며, 미신고시에는 형사처벌 및 과태료 등의 제재가 있으므로, 국증여 씨와 같이 한국 거주자로서 해외부동산을 투자할 경우에는 반드시 전문가와 상의할 필요가 있습니다.

[법적 근거]

소득세법

제165조의 2(해외현지법인 등에 대한 자료제출 의무)

①「외국환거래법」 제3조 제1항 제18호에 따른 해외직접투자를 하거나 같은 항 제19호에 따른 자본거래 중 외국에 있는 부동산이나 이에 관한 권리(이하 "해외부동산등"이라 한다)를 취득하거나 처분(해외부동산등의 물건별 취득가액 또는 처분가액이 2억 원 이상인 경우로 한정한다)한 거주자(제3조 제1항 단서에 따른 외국인 거주자는 제외한다)는 제70조 또는 제70조의 2에 따른 신고기한까지 다음 각호의 자료(이하 "해외현지법인 명세서등"이라 한다)를 대통령령으로 정하는 바에 따라 납세지 관할 세무서장에게 제출하여야 한다.

1. 해외직접투자의 명세
2. 해외직접투자를 받은 외국법인의 재무상황(해외직접투자를 받은 외국법인이 투자한 외국법인의 재무상황을 포함한다)
3. 해외직접투자를 한 거주자의 손실거래(해외직접투자를 받은 외국법인과의 거래에서 발생한 손실거래로 한정한다)
4. 해외직접투자를 받은 외국법인의 손실거래(해외직접투자를 한 거주자와의 거래에서 발생한 손실거래는 제외한다)
5. 해외 영업소의 설치현황
6. 해외부동산등의 투자 명세
7. 그 밖에 대통령령으로 정하는 해외직접투자 또는 해외부동산등의 투자운용 및 처분과 관련된 자료

② 납세지 관할 세무서장은 제1항에 따른 거주자가 해외현지법인 명세서등을 제출하지 아니하거나 거짓된 해외현지법인 명세서등을 제출한 경우에는 해외현지법인 명세서등의 제출이나 보완을 요구할 수 있다. 다만, 제1항에 따른 기한의 다음 날부터 2년이 지난 경우에는 그러하지 아니하다.

③ 제2항에 따라 자료제출 또는 보완을 요구받은 자는 요구받은 날부터 60일 이내에 해당 자료를 제출하여야 한다.

④ 제1항을 적용할 때 취득가액 및 처분가액은 다음 각호에 따라 계산한다. 이 경우 외화의 원화환산은 외화를 수령하거나 지급한 날의 「외국환거래법」에 따른 기준환율 또는 재정환율을 적용하여 계산한다.

1. 취득가액: 제118조의 4 제1항 제1호에 따른 취득가액
2. 처분가액: 제118조의 3에 따른 양도가액

제176조(해외현지법인 등의 자료제출 의무 불이행 등에 대한 과태료)

① (생략)

② 제165조의 2에 따라 같은 조 제1항 제6호에 따른 해외부동산등의 투자 명세 및 같은 항 제7호에 따른 해외부동산등과 관련된 자료(이하 이 항에서 "해외부동산등의 투자 명세등"이라 한다)의 제출의무가 있는 거주자가 다음 각호의 어느 하나에 해당하는 경우 그 거주자에게는 대통령령으로 정하는 해외부동산등의 취득가액, 처분가액 및 투자운용 소득의 100분의 10 이하의 과태료(1억 원을 한도로 한다)를 부과한다. 다만, 기한까지 자료제출이 불가능하다고 인정되는 경우 등 대통령령으로 정하는 정당한 사유가 있는 경우에는 과태료를 부과하지 아니한다.

1. 제165조의 2 제1항에 따른 기한까지 해외부동산등의 투자 명세등을 제출하지 아니하거나 거짓된 해외부동산등의 투자 명세등을 제출하는 경우
2. 제165조의 2 제2항에 따라 자료제출 또는 보완을 요구받아 같은 조 제3항에 따른 기한까지 해당 자료를 제출하지 아니하거나 거짓된 자료를 제출하는 경우

③ (생략)

④ 제1항부터 제3항까지의 규정에 따른 과태료는 대통령령으로 정하는 바에 따라 납세지 관할 세무서장이 부과 · 징수한다.

계좌이체한 내역을 한국과 일본 국세청에서 알고 있을까?

한국 국적이나 일본에서 살고 있는 나국제 씨는 한국과 일본을 오가며 사업을 하고 있습니다. 나국제 씨는 사업자금뿐만 아니라 생활자금 등을 위하여 한국과 일본에 송금을 자주 하고 있습니다.

한국과 일본 국세청은 나국제 씨의 해외 송금 내역에 대해서 알고 있을까요?

한국과 일본 모두 건당 일정금액이 넘는 해외송금을 할 경우에는 해외송금내역이 국세청으로 통보되는 제도가 있습니다.

•••

한국의 외국환거래규정에 따르면, 건당 미화 1만 불을 초과하는 금액의 송금, 지급인 및 수령인별로 연간 미화 1만 불을 초과하는 송금, 연간 미화 10만 불을 초과하는 해외유학경비 송금 등은 국세청장에게 자동적으로 통보되고 있습니다. 월별로 집계하여 다음 월에 통보하기 때문에 한국 국세청에서는 월 단위로 해외송금내역을 파악할 수 있습니다.

[법적 근거]

외국환거래규정 제4-8조(국세청장 등에 대한 통보)
① 외국환은행의 장은 법 제21조 및 영 제36조의 규정에 의하여 다음 각호의 1에 해당하는 지급등의 경우에는 매월별로 익월 10일 이내에 지급등의 내용을 국세청장에게 통보하여야 한다. 다만, 정부 또는 지방자치단체의 지급등은 그러하지 아니하다.

1. 제4-3조 제1항 제1호 내지 제2호의 규정에 의한 지급등의 금액이 지급인 및 수령인별로 연간 미화 1만 불을 초과하는 경우 및 제7-11조 제2항의 규정에 의한 지급금액이 지급인별로 연간 미화 1만 불을 초과하는 경우

2. 제4-5조의 규정에 의한 해외유학생 및 해외체재자의 해외여행경비 지급금액이 연간 미화 10만 불을 초과하는 경우
3. 제1호 및 제2호의 경우를 제외하고 건당 미화 1만 불을 초과하는 금액을 외국환은행을 통하여 지급등(송금수표에 의한 지급등을 포함한다) 하는 경우

일본의 경우에도 외화송금내역이 국세청에 통보되는 유사한 제도가 있습니다. 국외로의 송금 또는 국외로부터의 송금이 건당 100만 엔을 초과하는 경우에는 금융기관이 국외송금 등 조서를 작성하여 관할 세무서에 제출하고 있습니다.

따라서, 나국제 씨의 경우에는 한국에서는 미화 1만 불을 기준으로 한국 국세청에 통보되고, 일본에서는 엔화 100만 엔을 기준으로 일본 국세청에 외화송금내역이 통보됩니다. 외환거래내역 통보만으로 세금이 추가로 발생하거나 세무조사가 바로 이루어지는 것은 아니지만, 국세청에서 판단하기에 소득 규모 대비 의심스러운 외화송금거래가 있다면 세무조사를 실시할 수도 있으므로 외화송금에 있어서도 주의가 필요합니다.

거주지국의 민법대로 상속수속을 할 수 있을까?

나조부 씨는 일본에서 태어나고 지금까지 일본을 생활의 본거지로 살아왔습니다. 그리고 이번에 병으로 돌아가셨습니다.
아들인 나국제 씨는 나조부 씨의 상속수속 등을 당연히 아버지가 살던 일본의 민법에 따라 해야 한다고 생각하고 있습니다.

나국제 씨가 일본 민법에 따라 상속수속절차를 밟을 수 있을까요?

나조부 씨가 유언을 남기지 않았으므로 나국제 씨의 생각대로 일본의 민법에 따라 상속수속 등을 진행할 수 없습니다. 나조부 씨의 국적이 일본이 아니고 한국이기 때문입니다.

•••

섭외적 사법 관계에 있어 복수 나라의 법률 중에 어느 나라의 법을 적용할지 정할 필요가 있는 경우, 적용해야 할 사법을 지정하는 법규범을 국제사법이라고 합니다. 어떠한 사법 관계가 생겼을 경우(이 경우는 상속을 말합니다), 어느 국가 또는 지역의 실질법을 적용하는 것이 좋은지를 정하는 국내법입니다.

일본의 국제사법인 "법의 적용에 관한 통칙 법" 제36조에서는 "상속은 피상속인의 본국 법에 의한다"라고 규정하고 있습니다.

통칙 법 제36조에서 규정하는 "상속"은 상속분, 상속인의 범위, 상속 재산, 상속인의 순위, 대습 상속 등이 적용 범위가 됩니다. 또한 상속인 자격의 전제가 되는 혼인이나 부모 자식 관계 등의 친족 관계는 통칙 법 제36조의 대상이 아닙니다.

또 통칙 법 제36조에서 규정하는 "본국 법"은 피상속인의 국적 소속 국가의 법을 말합니다. 이런 점에서 아버지의 상속에 대해서는 한국 법률이 적용되는 것이 원칙입니다.

한편, 한국의 국제사법 제49조는 일본과 마찬가지로 본국 법에 의한다는 규정이 있으니 여기서도 상속에 대해서는 한국의 민법에 준거하게 됩니다. 다만, 피상속인의 유언으로 준거법을 지정한 경우는 해당 국가의 법에 따르게 됩니다. 즉, 부친의 유언으로 "일본법을 상속 준거법으로서 지정한다"는 취지의 기재가 있었을 경우에는 일본의 민법이 적용됩니다.

만약에 피상속인의 국적이 "조선"으로 되어 있다면 국적이 불명확하므로 정확하게 국적을 확정시킬 필요가 있습니다. 재일동포에 관련된 국제사법이나 해당 선문가를 통하여 국적의 판단을 하여야 합니다. 국적이 북한으로 판단되는 경우에는 북한의 민법 등을 고려하여 추가적인 판단이 필요할 수 있습니다.

[법적 근거]

일본 법 적용에 관한 통칙법 제36조(상속)

상속은 피상속인의 본국법에 의한다.

한국 국제사법 제49조(상속)

① 상속은 사망 당시 피상속인의 본국법에 의한다.

② 피상속인이 유언에 적용되는 방식에 의하여 명시적으로 다음 각호의 법 중 어느 것을 지정하는 때에는 상속은 제1항의 규정에 불구하고 그 법에 의한다.

1. 지정 당시 피상속인의 상거소가 있는 국가의 법. 다만, 그 지정은 피상속인이 사망시까지 그 국가에 상거소를 유지한 경우에 한하여 그 효력이 있다.
2. 부동산에 관한 상속에 대하여는 그 부동산의 소재지법

일본에서 작성한 유언장으로 한국에서 소유권이전등기신청을 하고 싶다

나국제 씨는 일본에 거주하고 있는 재일동포이고, 한국에 있는 부동산, 예금 등의 재산에 대하여 유언장을 작성하려고 합니다. 이때 일본 민법에서 요구하는 유언 방식에 따라야 되는지. 만약, 일본 민법에 의하여 유언장을 작성한다면 사망한 후에 일본에 있는 상속인들이 한국에서 부동산 등에 대해 소유권이전등기신청을 할 수 있을지 고민입니다.

나국제 씨가 일본에서 한 유언은 한국에서도 효력이 있을까요?

국제사법에 따르면 유언의 방식은 '본국법, 상거소지법, 행위지법, 부동산 소재지법' 중 어느 하나의 법에 의하는 것으로 되어 있습니다(국제사법 제50조 제3항). 즉, 네 가지 중에 어느 하나의 법률에 따른 방식만 준수하면 한국에서도 적법한 것으로 인정되는 것입니다. 따라서 반드시 소재지법인 한국법을 따라야 할 이유는 없고, 상거소지 및 행위지법인 일본법에서 요구하는 유언방식(일반 유언방식으로서 자필, 공정증서, 비밀증서에 의한 유언 및 특별 유언방식으로서 위급시 유언, 격리지 유언 등)에 의하는 것만으로도 충분합니다.

대법원은 일본에 거주하는 재일동포가 한국의 부동산에 관한 유언장을 한국법이 아닌 일본법에 의하여 작성하고 후일 일본에 있는 상속인들이 동 유언장에 기하여 한국에서 소유권이전등기신청을 한 사안에서, 위 국제사법 규정을 근거로 유언 당시의 행위지법 내지 유언자의 상거소지법인 일본 민법이 정한 방식에 의한 유언 공정증서만으로도 등기신청이 가능하다고 판단한 예가 있습니다.

[법적 근거]

1. 관련 조문

국제사법 제50조 ① 유언은 유언 당시 유언자의 본국법에 의한다.
② 유언의 변경 또는 철회는 그 당시 유언자의 본국법에 의한다.
③ 유언의 방식은 다음 각호 중 어느 하나의 법에 의한다.
  1. 유언자가 유언 당시 또는 사망 당시 국적을 가지는 국가의 법
  2. 유언자의 유언 당시 또는 사망 당시 상거소지법
  3. 유언 당시 행위지법
  4. 부동산에 관한 유언의 방식에 대하여는 그 부동산의 소재지법

한국 민법 제1065조(유언의 보통방식) 유언의 방식은 자필증서, 녹음, 공정증서, 비밀증서와 구수증서의 5종으로 한다.

제1066조(자필증서에 의한 유언) ① 자필증서에 의한 유언은 유언자가 그 전문과 연월일, 주소, 성명을 자서하고 날인하여야 한다.
② 전항의 증서에 문자의 삽입, 삭제 또는 변경을 함에는 유언자가 이를 자서하고 날인하여야 한다.

제1067조(녹음에 의한 유언) 녹음에 의한 유언은 유언자가 유언의 취지, 그 성명과 연월일을 구술하고 이에 참여한 증인이 유언의 정확함과 그 성명을 구술하여야 한다.

제1068조(공정증서에 의한 유언) 공정증서에 의한 유언은 유언자가 증인 2인이 참여한 공증인의 면전에서 유언의 취지를 구수하고 공증인이 이를 필기낭독하여 유언자와 증인이 그 정확함을 승인한 후 각자 서명 또는 기명날인하여야 한다.

제1069조(비밀증서에 의한 유언) ① 비밀증서에 의한 유언은 유언자가

필자의 성명을 기입한 증서를 엄봉날인하고 이를 2인 이상의 증인의 면전에 제출하여 자기의 유언서임을 표시한 후 그 봉서표면에 제출연월일을 기재하고 유언자와 증인이 각자 서명 또는 기명날인하여야 한다.
② 전항의 방식에 의한 유언봉서는 그 표면에 기재된 날로부터 5일 내에 공증인 또는 법원서기에게 제출하여 그 봉인상에 확정일자인을 받아야 한다.

제1070조(구수증서에 의한 유언) ① 구수증서에 의한 유언은 질병 기타 급박한 사유로 인하여 전4조의 방식에 의할 수 없는 경우에 유언자가 2인 이상의 증인의 참여로 그 1인에게 유언의 취지를 구수하고 그 구수를 받은 자가 이를 필기낭독하여 유언자의 증인이 그 정확함을 승인한 후 각자 서명 또는 기명날인하여야 한다.
② 전항의 방식에 의한 유언은 그 증인 또는 이해관계인이 급박한 사유의 종료한 날로부터 7일 내에 법원에 그 검인을 신청하여야 한다.
③ 제1063조 제2항의 규정은 구수증서에 의한 유언에 적용하지 아니한다.

제1071조(비밀증서에 의한 유언의 전환) 비밀증서에 의한 유언이 그 방식에 흠결이 있는 경우에 그 증서가 자필증서의 방식에 적합한 때에는 자필증서에 의한 유언으로 본다.

제1072조(증인의 결격사유) ① 다음 각호의 어느 하나에 해당하는 사람은 유언에 참여하는 증인이 되지 못한다.

1. 미성년자
2. 피성년후견인과 피한정후견인
3. 유언으로 이익을 받을 사람, 그의 배우자와 직계혈족

○ 비교: 일본 민법의 유언 방식

일본 민법 제967조에 의해 인정되는 보통 방식 유언으로서 자필증서,

공정증서, 비밀증서 유언, 제976조 이하에 특별방식 유언으로서 위급시 유언 등이 있다. 특히, 보통 방식 유언이 불가능한 경우 특별 방식 유언이 인정되는데, 보통 방식 유언이 가능하게 되면서 6개월간 생존한 경우에는 이는 무효가 된다.

2. 대법원 예규 등

재일동포가 일본 민법이 정한 방식에 따른 유언 공정증서를 첨부하여 유증으로 인한 소유권이전등기를 할 수 있는지 여부(적극)

일본에 거주하는 대한민국 국민(재일동포)이 국내 부동산에 관하여 공정증서에 의한 유언을 하고 그에 따라 유증으로 인한 소유권이전등기 신청을 하는 경우, 유언의 실질적 내용(유증)에 관하여는 국제사법 제49조 제1항에 의하여 유증자의 사망 당시 본국법인 대한민국 법이 준거법이 되나, 유언의 방식은 같은 법 제50조 제3항 제1호 내지 제4호 중 어느 하나의 법에 의할 수 있으므로, 위 등기신청시 첨부서면으로 유언 당시의 행위지법 내지 유언자의 상거소지법인 일본 민법이 정한 방식에 따른 공정증서를 제출할 수 있다.
2005. 04. 07. 부동산등기과-25 질의회답 참조 예규: 제1024호

일본 국적 취득 후 사망하면 일본 민법의 법정상속분에 의할까?

나국제 씨는 한국에 거주하고 있는 한국인인데, 나국제 씨의 아버지인 나조부 씨는 일본에서 재혼을 한 후 귀화하였습니다.

나국제 씨는 아버지가 사망하게 될 경우, 상속 문제는 일본의 민법에 따르게 될까요?

상속은 사망 당시 피상속인의 본국법에 의하는 것이 원칙이나(국제사법 제49조) 피상속인의 유언에 적용되는 방식에 의하여 명시적으로 1) 지정 당시 피상속인의 상거소가 있는 국가의 법(다만, 그 지정은 피상속인이 사망시까지 그 국가에 상거소를 유지한 경우에 한하여 그 효력이 있습니다), 2) 부동산에 관한 상속에 대하여는 그 부동산의 소재지법 중 어느 것을 지정하는 때에는 그 법에 의합니다. 따라서 이런 경우를 제외하고는 원칙적으로 누가 상속인이 되는지, 상속인들의 상속분이 얼마나 되는지, 상속 포기를 할 수 있는지 등에 관하여 모두 상속에 관한 준거법으로서 피상속인의 본국법이 적용됩니다(다만, 상속인이 되기 위한 전제가 되는 피상속인과의 혼인관계, 친자관계, 친족관계는 각각 그에 따른 준거법에 의해 규율됩니다).

결국 국제사법의 관련규정에 의할 때 이 사건에서 망인이 사망 당시 일본에 귀화하는 등 일본 국적을 갖고 있었다면, 상속인들이 우리나라 법원에 상속에 관련된 소송을 제기한 경우에도 원칙적으로 일본 민법에 의해 상속분 등 법률관계가 규율된다고 할 것입니다.

한국 민법의 경우, 배우자의 상속분으로 1.5가 주어지고, 자식의 상속분으로 자식 1명당 1씩 균등하게 주어지므로, 자식의 숫자가 많아지면 자식의 상속분들의 합계가 증가하지만, 일본 민법은 배우자와 자식의 상속분이 동일하고, 이때 자식의 상속분이란 자식 1명당 상속분이 아니라 자식 모두를 합친 상속분을 의미하므로, 자식의 숫자가 많아져도 자식의 상속분 합계는 증가하지 않고 배우자의 상속분과 동일하다는 차이가 있습니다(일본 민법 제900조 및 한국 민법 제1009조).

예를 들어 상속인으로 일본인 배우자 및 한국 국적의 자녀 2명이 있다면, 일본인 배우자가 전체 재산에서 2분의 1, 한국인 자녀 2명이 각 4분의 1씩을 인정받게 됩니다.

[법적 근거]

한국 민법 제1000조(상속의 순위) ① 상속에 있어서는 다음 순위로 상속인이 된다. 〈개정 1990. 1. 13.〉

1. 피상속인의 직계비속
2. 피상속인의 직계존속
3. 피상속인의 형제자매
4. 피상속인의 4촌 이내의 방계혈족

② 전항의 경우에 동순위의 상속인이 수인인 때에는 최근친을 선순위로 하고 동친 등의 상속인이 수인인 때에는 공동상속인이 된다.
③ 태아는 상속순위에 관하여는 이미 출생한 것으로 본다.

제1003조(배우자의 상속순위) ① 피상속인의 배우자는 제1000조 제1항 제1호와 제2호의 규정에 의한 상속인이 있는 경우에는 그 상속인과 동순위로 공동상속인이 되고 그 상속인이 없는 때에는 단독상속인이 된다. 〈개정 1990. 1. 13.〉
② 제1001조의 경우에 상속개시 전에 사망 또는 결격된 자의 배우자는 동조의 규정에 의한 상속인과 동순위로 공동상속인이 되고 그 상속인이 없는 때에는 단독상속인이 된다.

제1009조(법정상속분) ① 동순위의 상속인이 수인인 때에는 그 상속분은 균분으로 한다.
② 피상속인의 배우자의 상속분은 직계비속과 공동으로 상속하는 때에는 직계비속의 상속분의 5할을 가산하고, 직계존속과 공동으로 상속하는 때에는 직계존속의 상속분의 5할을 가산한다.

일본 민법 제900조(법정상속분) 동 순위의 상속인이 여럿 있는 때에는 그 상속분은 다음 각호의 정한 바에 의한다.

1. 자녀 및 배우자가 상속인인 때에는 자녀의 상속분 및 배우자의 상속분은 2분의 1로 한다.
2. 배우자 및 직계존속이 상속인인 때에는 배우자의 상속분은 3분의 2로 하고, 직계존속의 상속분은 3분의 1로 한다.
3. 배우자 및 형제자매가 상속인인 때에는 배우자의 상속분은 4분의 3으로 하고, 형제자매의 상속분은 4분의 1로 한다.
4. 자녀, 직계존속 또는 형제자매가 수인인 때에는 각자의 상속분은 서로 동일한 것으로 한다. 그러나, 부모의 일방만을 같이 하는 형제자매의 상속분은 부모의 쌍방을 같이 하는 형제자매의 상속분의 2분의 1로 한다.

일본인 나처 씨에게 상속권이 인정될 수 있을까?

한국인인 나국제 씨는 일본인인 나처 씨와 2017. 5. 한국에서 재혼했지만, 나처 씨는 혼인신고를 위해 불과 10여 일간을 머물다 출국하였습니다.

나국제 씨는 그로부터 6개월 뒤 사망하였는데, 이때 나처 씨도 다른 상속인과 함께 상속을 받을 수 있을까요?

한국인이 외국인과 혼인했다가 실질적으로 관계가 끝났다면, 혼인무효확인의 소제기 등을 통하여 가족관계등록부를 정정하여야 사망 후에 상속문제가 발생하지 않습니다.

•••

국제결혼의 효력에 관해 무효 · 취소사유가 있는 경우에는 1. 부부의 동일한 본국법 2. 상거소지법(사실상 생활의 중심지) 3. 부부와 가장 밀접한 관련이 있는 곳의 법이라는 순서에 따라 준거법이 결정됩니다(국제사법 제37조). 특히, 3호와 관련하여 해당 장소가 부부와 가장 밀접한 관련이 있는 곳인지는 구체적 상황에서 당사자의 체류기간, 체류목적, 가족관계, 근무관계 등 관련 요소를 종합적으로 고려해서 결정됩니다.

만약, 한국 민법이 준거법이 되는 경우 인정되는 혼인무효의 사유는 당사자간 혼인의사가 없었거나 근친혼이었던 경우 등입니다(민법 제815조). 한국에서 혼인무효는 요건이 엄격하여 인용되기가 쉽지 않은데, 특히 위와 유사한 사안에서 전처가 미성년자인 자녀를 대리하여 제기한 혼인무효확인소송에 대해서 법원은 혼인신고 당시 망인과 상대방 사이에 혼인의 합의가 없었다고 단정하기에 부족하다는 이유로 청구를 기각한 예가 있습니다.

다만, 외국인 배우자가 혼인 파기를 먼저 통보하거나 혼인신고 이후 연락이 두절되는 등 혼인 파기 사유가 이미 있었다는 점이 인정될 때는 혼인무효확인 청구가 인용되기도 하는데, 국제결혼중개업체를 통해 베트남 국적의 여성을 소개받아 결혼식을 올렸지만 두 달 만에 이 여성이 혼인 파기를 통보하며 입국하지 않고 당사자는 갑자기 교통사고로 숨진 경우 유족들이 낸 소송에서 법원이 혼인무효를 인정한 사안도 있습니다.

[법적 근거]

국제사법 제37조(혼인의 일반적 효력) 혼인의 일반적 효력은 다음 각 호에 정한 법의 순위에 의한다.

1. 부부의 동일한 본국법
2. 부부의 동일한 상거소지법
3. 부부와 가장 밀접한 관련이 있는 곳의 법

민법 제815조(혼인의 무효) 혼인은 다음 각호의 어느 하나의 경우에는 무효로 한다.

1. 당사자 간에 혼인의 합의가 없는 때
2. 혼인이 제809조 제1항의 규정을 위반(근친혼)한 때
3. 당사자 간에 직계인척관계(直系姻戚關係)가 있거나 있었던 때
4. 당사자 간에 양부모계의 직계혈족관계가 있었던 때

신탁하면 세금이 줄어들까?

나조부 씨는 과거 일본에서 일본의 법률에 따라서 법인을 설립하여 주식 10,000주를 취득하였습니다. 나조부 씨는 주식 100%를 소유하고 있다가 이를 2017년 나조부 씨의 사전증여 목적으로 아들 나부 씨에게 명의신탁하는 신탁계약을 체결하였다가, 2017년 신탁계약을 해지하고 주식의 명의를 다시 환원하였습니다.

그 후 나조부 씨는 우연한 사고로 사망하였고, 국세청은 2017년 나조부 씨가 나부 씨에게 주식 100%를 명의신탁한 것을 세법 규정에 따라 증여분 증여세를 고지하였습니다.

하지만, 말도 안된다고 생각이 든 나부 씨는 분개하고 있습니다. 과연 이런 신탁의 경우에도 세금이 발생하는 것이 맞는 것일까요?

신탁이란 신탁설정자(위탁자)와 신탁을 인수하는 자(수탁자)와 특별한 신임관계에 기하여 위탁자가 특정의 재산권을 수탁자에게 이전하거나 기타의 처분을 하고 수탁자로 하여금 일정한 자(수익자)의 이익을 위하거나 특정의 목적을 위하여 그 재산권을 관리·처분하게 하는 법률관계를 말합니다.

나부 씨의 경우 명의신탁으로 인해 증여세가 과세될 위기에 처해 있는데, 과거부터 현재까지 많은 변혁이 있었습니다. 현재의 경우는 일정한 요건에 해당하는 경우는 과세를 하며, 반대로 일정한 요건에 해당하면 규정을 적용하지 않는 경우도 있습니다. 그렇기 때문에 현재 나부 씨의 경우에는 과세에 해당할 수도 있고 해당하지 아니할 수도 있습니다.

우리나라의 상속세 및 증여세법에서는 수증자가 거주자인 경우에는 거주자가 증여받은 모든 재산에 대하여 증여세를 부과한다고 규정하고 있습니다. 거주자가 외국법인의 주식을 증여받는 경우에도 증여세의 부과대상으로 보며, 권리의 이전이나 행사에 등기 등이 필요한 재산의 실제 소유자와 명의자가 다른 경우에는 그 명의자로 등기 등을 한 날에 그 재산의 가액을 명의자가 실제 소유자로부터 증여받은 것으로 본다고 규정하고 있습니다. 그때 "등기 등"이란 "등기·등록·명의개서 등"을 말하고, 등기 등이 필요한 재산에서 토지와 건물을 제외한다고 규정하고 있을 뿐 외국법인의 주식을 제외한다는 별도의 규정을 두고 있지 아니합니다.

우리나라에는 명의신탁이라는 개념이 존재하고 있는데, 명의신탁이라는 것과 신탁은 엄연히 구별되어야 하는 존재입니다. 명의신탁이라는 것은 일제강점기에 주로 종중토지의 소유권 문제를 해결하기 위한 방도로 이용되어 왔던 것이 판례로 확립된 것이기 때문에 법적 구속력을 갖지는 못합니다. 명의신탁은 수탁자에게 재산의 소유명의가 이전되지만, 수탁자는 외관상 소유자로 표시될 뿐이고 적극적으로 그 재산을 관리·처분할 권리의무를 갖지는 못하는 것이 신탁입니다.

신탁법상의 신탁과 명의신탁의 차이점

신탁법상의 '신탁'은 신탁설정자 즉 '위탁자'와 신탁을 인수하는 자 즉 '수탁자'가 특별한 신임관계에 기하여 위탁자가 특정의 재산권을 수탁자에게 이전하거나 기타의 처분을 하고 수탁자로 하여금 일정한 자, 즉 '수익자'의 이익을 위하여 또는 특정 목적을 위하여 그 재산권을 관리·처분하게 하는 것을 말하며 또한 등기·등록하여야 할 재산권에 관하여는 신탁은 그 등기 또는 등록을 함으로써 제3자에게 대항할 수 있고, 유가증권에 관하여는 신탁은 증권에 신탁재산인 사실을 표시하고 주권과 사채권에 관하여는 또한 주주명부 또는 사채원부에 신탁재산인 사실을 기록함으로써 제3자에게 대항할 수 있습니다.

신탁법상의 신탁과 명의신탁을 비교하여 볼 때, 명의신탁은 수탁자에게 재산의 소유명의가 이전되지만 그것은 외관상 표시될 뿐이고 적극적으로 그 재산을 관리·처분할 권리·의무를 가지지 아니하므로 신탁법상의 신탁과 다르다고 할 수 있습니다.

그리고 명의신탁 이외에 신탁법상의 '신탁'에 대해서 상속목적으로 많이 이용되고 있습니다. 가령 피상속인이 임대목적의 건물을 소유하고 있는 경우 그 건물을 신탁재산으로 위탁 후 임대용으로 공하는 경우 자신이 살아있을 때에는 자신이 '수익자'가 되다가 자신이 죽으면 상속인이 '수익자'가 되는 형태의 신탁 또한 많이 이용되고 있는데, 이 또한 상속재산에 해당하게 됩니다. 이때 신탁재산은 설정 형태에 따라서 다양한 과세형태와 과세이연효과를 가지게 되며, 이는 매우 복잡한 구조를 가지게 됩니다. 그렇지만 신탁의 경우는 단기간 보다는 장기적인 계획을 가지고 접근을 하는 것이 필요하며, 피상속인과 상속인이 원하는 경제활동 형태 등을 고려해 충분한 상담을 한 후 활용하는 것이 필요합니다.

명의신탁재산에 대한 증여세 과세요건

- 등기·등록·명의개서 등이 필요한 재산
- 명의신탁에 대한 당사자 합의
- 조세 회피 목적이 있을 것
- 소유권에 대한 실질 소유자와 명의자 상이

현재 명의신탁재산에 대한 증여세 과세를 하기 위하여는 위와 같은 요건을 만족하는 경우에 한하여 과세를 하고 있습니다. 그렇기 때문에 요건에 대한 명확한 검토와 준비가 필요하다고 할 수 있습니다.

나국제 씨는 또 증여세를 내야 하나?

나국제 씨는 한국에서 거주하고 있습니다. 예전에 비거주자인 아버지로부터 일본에 있는 부동산을 증여받은 적이 있습니다. 그에 대해 일본에서 증여세를 내고 부동산 명의이전을 하고 잘 지냈습니다. 그 후 그 부동산에서 나오는 월세도 잘 신고하면서 한국에서 받는 급여 등 근로소득과 합산하여 소득세도 꼬박꼬박 내왔습니다.
그런데 난데없이 한국 국세청에서 증여세 신고를 하라고 통지가 왔습니다. 세무서에서는 한국 거주자가 증여받은 것에 대해서는 한국에서 신고 및 납세의무가 있다고 합니다.

나국제 씨는 한국에서 또 한 번 증여세를 납부해야 하는 걸까요?

수증자가 거주자인 경우에는 무제한 납세의무자에 해당하므로 거주자가 증여받은 국내재산 및 국외재산 모두에 대하여 증여세가 부과됩니다. 따라서 한국에서 증여세를 신고 및 납부해야 합니다. 다만, 우리나라에서 비거주자가 국내재산을 증여받는 경우 증여세가 부과되는 것처럼 외국에서도 증여세를 부과할 수 있습니다. 이 경우에는 국가간 이중과세방지를 위해서 외국의 법령에 의하여 증여세를 납부한 경우 일정한 범위에서 공제하도록 하고 있습니다.

•••

증여세 산출세액에서 공제하는 외국 납부세액은 증여세 산출세액에 증여세 과세표준 중 외국법령에 따라 증여세가 부과된 증여세 과세표준에 해당하는 금액이 차지하는 비율을 곱하여 계산한 금액에 의합니다.

[법적 근거]

상속세 및 증여세법 제59조(외국납부세액공제)

타인으로부터 재산을 증여받은 경우에 외국에 있는 증여재산에 대하여 외국의 법령에 따라 증여세를 부과받은 경우에는 대통령령으로 정하는 바에 따라 그 부과받은 증여세에 상당하는 금액을 증여세 산출세액에서 공제한다.

상속세 및 증여세법 시행규칙 제15조(평가의 원칙 등)

② 영 제49조 내지 영 제63조의 규정에 의하여 재산을 평가함에 있어서 국외재산의 가액은 평가기준일 현재 「외국환거래법」에 의한 기준환율 또는 재정환율에 의하여 환산한 가액으로 이를 평가한다.
〈개정 1999. 5. 7., 2005. 3. 19.〉

외국의 법령에 의하여 부과된 증여세 과세표준과 증여세액은 평가기준일 현재 외국환거래법에 의한 기준환율 또는 재정환율에 의하여 환산한 가액으로 평가하여야 할 것입니다.

따라서 외국에서 증여받은 재산에 대해 증여세 신고를 하고 납부를 하고 등기 등 절차를 마쳤다고 하여도 아직 모든 신고가 끝난 것은 아니며, 해당 신고서를 토대로 외국납부세액공제를 적용하여 한국에서 다시 증여세 신고를 하여야 한다는 점을 명심해야 하며, 외국에서 신고한 증여세 신고서를 이용하여 추가적인 세금을 부담하지 않도록 신경써야 합니다. 물론 국제 세무전문가에게 상담 및 검토를 요청하는 것이 합리적으로 판단됩니다.

어느 나라의 재산을 증여해야 하나?

일본 거주자인 김타쿠상은 양국에 부동산 등을 투자해서 한국과 일본 양국에 재산이 있습니다.
최근 건강이 예전같지 않아서 상속세도 줄이고 한창 돈이 많이 필요한 자녀에게 증여를 하려고 합니다. 이 경우 어느 나라에 있는 재산을 증여하는 것이 유리할지 궁금합니다. 어느 나라의 재산을 증여하는 것이 전체 부담할 세액을 줄일지 몹시 궁금합니다.

증여세의 예상세액을 계산해서 적은 나라에서 내면 유리한 걸까요?

증여세는 단순히 증여세액 납부에서 끝나는 것은 아닙니다. 한국과 일본은 상속 발생시에 상속 전에 증여한 재산에 대하여 상속세액에서 정산하는 부분이 있으므로, 그 부분까지 고려하는 것이 현명한 선택이 될 수 있습니다.

•••

한국과 일본 모두 상속이 발생하는 경우에 상속 전에 발생한 사전증여를 상속세 계산시 합산하여 정산하는 제도가 있습니다. 한국은 수증자가 상속인인 경우는 상속 전 10년, 상속인 이외의 경우에는 상속 전 5년간의 증여를 상속세 계산시 상속재산에 가산하여 상속세를 계산 한 후에 다시 증여세액을 차감하여 정산합니다.

일본도 상속 전 3년간의 사전증여를 합산하여 정산합니다.

뿐만 아니라 일본에는 역년과세의 공제액과 상속시 정산과세의 제도가 있습니다.

그 외에도, 직계존속으로부터 주택 취득 등 자금을 증여받았을 경우 증여세의 비과세, 직계존속으로부터 교육자금의 일괄 증여를 받았을 경우 증여세의 비과세, 직계존속으로부터 결혼 · 육아 자금의 일괄 증여를 받았을 경우 증여세의 비과세 등 조세특별조치법상의 비과세 규정이 있습니다.

따라서 양국에 재산이 있어서 사전증여를 고려하는 경우 그 증여가 차후 상속세 과세대상이 되는 경우 상속세가 어떻게 변하는지와 당장의 증여세액 부담액이 얼마가 되는지까지 고려하는 것이 현명한 판단이 됩니다.

[법적 근거]

일본 상속세법

제19조(상속개시 전 3년 이내에 증여가 되었을 경우의 상속세액)
제1항 상속 또는 유증으로 재산을 취득한 자가 해당 상속의 개시 전 3년 이내에 해당 상속과 관련된 피상속인으로부터 증여에 의해 재산을 취득한 적이 있는 경우에 있어서는, 그 사람에 대해서는 해당 증여에 의해 취득한 재산(증여세의 납세의무자의 구분에 따라 증여세의 과세가격, 증여세의 비과세 재산, 특정 장애인에 대한 증여세의 비과세 등 규정에 의해 해당 취득의 날이 속하는 해의 증여세의 과세가격 계산의 기초로 산입되는 것(증여세의 배우자 공제 규정에 의해 공제되거나 공제되게 되는 금액에 상당하는 부분을 제외한다)에 한한다)의 가액을 상속세 과세가격에 가산된 가액을 상속세 과세가격으로 간주하여, 제15조에서 제18조까지의 규정을 적용하고 산출한 금액(해당 증여에 따라 취득한 재산의 취득에 부과된 증여세가 있을 때는 해당 금액에서 해당 재산에 관련된 증여세의 세액(재외 재산에 대한 증여 세액의 규정에 의한 공제 전의 세액으로 하며, 연체세, 이자세, 과소 신고 가산세, 무신고 가산세 및 중가산세에 상당하는 세액을 제외)으로 시행령의 정하는 바에 의하여 계산한 금액을 공제한 금액)을 그 납부해야 할 상속세액으로 한다.

제21조의 9(상속시 정산 과세 선택)

제1항 증여에 의해 재산을 취득한 자가 그 증여를 한 자의 추정 상속인(그 증여를 한 자의 직계비속인 자 중 그 해 1월 1일에 20세 이상인 자에 한한다)이며, 동시에 그 증여를 한 자가 같은 날에 있어서 60세 이상의 자일 경우에는 그 증여에 의해 재산을 취득한 자는 그 증여와 관련된 재산에 대해 이 절의 규정을 적용받을 수 있다.

제2항 전항의 적용을 받고자 하는 자는 시행령으로 정하는 바에 따라 제28조 제1항의 기간 내에 전항에 규정하는 증여를 한 자로부터 그 연중에 발생한 증여에 의해 취득한 재산에 대해 동항의 규정을 적용받고자 함. 기타 재무부령으로 정하는 사항을 기재한 신고서를 납세지의 관할 세무서장에게 제출하여야 한다.

제3항 전항의 신고서와 관련된 증여를 한 자로부터의 증여에 의해 취득하는 재산에 대해서는 해당 신고서와 관련된 연 이후, 전절 및 이 절의 규정에 의해 증여세액을 계산한다.

제6항 상속시 정산과세 적용자는 제2항의 신고서를 철회할 수 없다.

제21조의 10(상속시 정산 과세와 관련된 증여세 과세가격)

상속시 정산 과세 적용자가 특정 증여자로부터의 증여에 의해 취득한 재산에 대해서는 특정 증여자마다 그 연중 증여에 의해 취득한 재산의 가액을 합계하여, 각각의 합계액을 증여세의 과세가격으로 한다.

제21조의 12(상속시 정산 과세와 관련된 증여세 특별공제)

제1항 상속시 정산 과세 적용자가 그 연중 특정 증여자로부터의 증여에 의해 취득한 재산과 관련된 그 해의 증여세에 대해서는 특정 증여자별 증여세의 과세가격에서 각각 다음에 제시하는 금액 중 어느 하나 낮은 금액을 공제한다.

1. 2,500만 엔(이미 이 조의 규정을 적용받아 공제한 금액이 있는 경우에는 그 금액의 합계액을 공제한 잔액)
2. 특정증여자별 증여세 과세가격

제21조의 13(상속시 정산 과세와 관련된 증여세 세율)
상속시 정산 과세 적용자가 그 연중 특정 증여자로부터의 증여에 의해 취득한 재산과 관련한 그 해의 증여세의 가액은 특정 증여자마다, 제21조의 10(상속시 정산과 관련한 증여세의 과세가격)의 규정에 의해 계산된 증여세의 과세가격(전조 제1항의 규정의 적용이 있는 경우에는 동항의 규정에 의한 공제 후의 금액)에 각각 100분의 20의 세율을 곱해서 계산한 금액으로 한다.

제2조의 2(증여세 과세가격)
제1항 증여에 의해 재산을 취득한 자가 그 연중의 증여에 의한 재산의 취득에 대해 제1조의 4 제1항 제1호 또는 제2호의 규정에 해당하는 자일 경우에는 그 사람에 대해서는 그 해에 증여에 의해 취득한 재산의 가액의 합계액을 증여세의 과세가격으로 한다.
제2항 증여에 의해 재산을 취득한 자가 그 해의 증여에 의한 재산의 취득에 대해 제1조의 4 제1항 제3호 또는 제4호의 규정에 해당하는 자일 경우에는, 그 사람에 대해서는 그 해에 증여에 의해 취득한 재산으로 이 법률의 시행지에 있는 것의 가액의 합계액을 증여세의 과세가격으로 한다.
제3항 증여에 의해 재산을 취득한 자가 그 연중의 증여에 의한 재산의 취득에 대해 제1조의 4 제1항 제1호의 규정에 해당하고, 동항 제3호 혹은 제4호의 규정에 해당하는 자 또는 동항 제2호의 규정에 해당하고, 동항 제3호 혹은 제4호의 규정에 해당하는 자일 경우에는 그 사람에 대해서는 그 사람이 이 법의 시행 지역에 주소를 가지고 있던 기간 내에 증여로 취득한 재산으로 시행령으로 정하는 가격 및 이 법률의 시행 지역에 주소를 가지고 있지 않은 기간 내에 증여에 의해 취득한 재산으로 시행령으로 정하는 가액의 합계액을 증여세의 과세가격으로 한다.
제4항 상속 또는 유증으로 재산을 취득한 자가 상속개시의 해에 해당

상속과 관련된 피상속인에게 받은 증여에 의하여 취득한 재산의 가액으로 제19조의 규정에 의하여 상속세의 과세가격으로 가산되는 것은 전3항의 규정에 관계없이 증여세의 과세가격에 산입하지 아니한다.

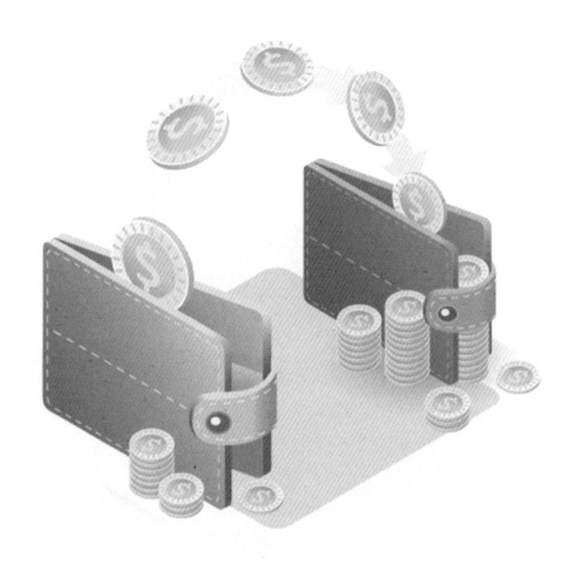

상속세를 피해 상속세율이 낮은 제3국으로 가면 절세가 되는 것은 아닌지?

나국제 씨는 한국 국적이나 일본에 주소를 두고 있는 일본 거주자입니다. 사업상 일본, 한국, 싱가포르를 자주 왕래하고 있습니다. 나국제 씨는 일본에서 돈을 많이 벌어 과거 싱가포르 법인의 주식을 5억 엔에 취득하였고, 현재 시가 10억 엔 상당액이 되었습니다. 나국제 씨도 이제는 자식들에게 싱가포르 주식 등의 재산을 물려주기 위해 상속세를 고민하던 중에, 한국과 일본의 상속세율은 다른 국가보다 높은 편이라, 제3의 국가인 싱가포르로의 이민을 생각하고 있습니다. 싱가포르의 경우, 상속세율이 0%라는 이야기를 들었기 때문입니다.

나국제 씨가 싱가포르로 해외 이주하게 되면 세금이 나오지 않을까요?

일본의 경우, 유가증권을 보유한 거주자가 국외전출을 하게 되면, 유가증권을 양도한 것으로 간주하여 소득세가 과세되게 되는 국외전출자 과세제도가 있습니다.

•••

일본의 국외전출자 과세제도는 1억 엔 이상의 유가증권이나 미결제 신용거래 등의 자산을 보유한 거주자가 해외 이민 등 국외전출을 하게 되면 국외전출시의 가액으로 대상 자산을 양도한 것으로 간주하여 소득세를 과세하게 되는데, 2015년부터 도입된 제도입니다.

한국에도 국외전출세라는 유사한 제도가 있습니다. 한국에서는 국내세법상 상장주식 또는 비상장주식의 대주주(1~4%)가 국외전출시에 주식을 양도한 것으로 간주하여 양도소득세를 과세하는 제도로서 2018년에 도입되었습니다. 한국과 일본의 제도는 유사한 점도 많으나, 한국은 한국 국내 주식만 대상으로 하고 일본은 주식뿐만 아니라 유가증권 전체라는 점, 일본은 국내 유가증권뿐만 아니라 국외 유가증권도 대상 재산이라는 점을 유의할 필요가 있습니다.

이러한 성격의 세금을 총괄하여 학계에서는 출국세(Exit Tax)라 부르고 있으며, 각 국가의 부유층이 세금이 없는 국가로 이민 가는 것을 방지하기 위해 선진국을 중심으로 최근 도입된 제도입니다. 출국세의 기본 개념은 거주자가 국외전출하는 경우 국외전출 직전에 대상 자산을 양도한 것으로 간주하고, 시가평가하여 과세하는 것입니다. 국가마다 출국세의 범위는 다른데 미국, 캐나다, 호주 등의 국가에서는 주식뿐만 아니라 출국세 대상자산의 제한이 없이 거의 모든 자산에 대해서 과세하고 있습니다.

[법적 근거]

소득세법 제118조의 9(거주자의 출국 시 납세의무)
① 다음 각호의 요건을 모두 갖추어 출국하는 거주자(이하 "국외전출자"라 한다)는 제88조 제1호에도 불구하고 출국 당시 소유한 제94조 제1항 제3호, 같은 항 제4호 다목 및 라목에 해당하는 주식등을 출국일에 양도한 것으로 보아 양도소득에 대하여 소득세를 납부할 의무가 있다. 〈개정 2018. 12. 31.〉

1. 출국일 10년 전부터 출국일까지의 기간 중 국내에 주소나 거소를 둔 기간의 합계가 5년 이상일 것
2. 출국일이 속하는 연도의 직전 연도 종료일 현재 소유하고 있는 주식등의 비율·시가총액 등을 고려하여 대통령령으로 정하는 대주주에 해당

제118조의 10(과세표준의 계산) ① 제118조의 9 제1항에 따른 주식등(이하 "국외전출자 국내주식등"이라 한다)의 양도가액은 출국일 당시의 시가로 한다. 다만, 시가를 산정하기 어려울 때에는 그 규모 및 거래상황 등을 고려하여 대통령령으로 정하는 방법에 따른다.
② 제1항에 따른 양도가액에서 공제할 필요경비는 제97조에 따라 계산한다.

③ 양도소득금액은 제1항에 따른 양도가액에서 제2항에 따른 필요경비를 공제한 금액으로 한다.
④ 양도소득과세표준은 제3항에 따른 양도소득금액에서 연 250만 원을 공제한 금액으로 한다.
⑤ 제4항에 따른 양도소득과세표준은 종합소득, 퇴직소득 및 제92조 제2항에 따른 양도소득과세표준과 구분하여 계산한다.
⑥ 제1항에 따른 시가의 산정 및 그 밖에 필요한 사항은 대통령령으로 정한다.

제118조의 11(세율 및 산출세액) 국외전출자의 양도소득세는 제118조의 10 제4항에 따른 양도소득과세표준에 다음의 계산식에 따라 계산한 금액을 그 세액(이하 이 절에서 "산출세액"이라 한다)으로 한다.

양도소득과세표준	세율
3억 원 이하	20%
3억 원 초과	6천만 원+(3억 원 초과액×25%)

OECD 국가 중에서 한국과 일본은 상속세 최고세율이 가장 높은 국가 1위, 2위(일본 최고세율 55%, 한국 최고세율 50%)입니다. 상속세를 절세하기 위해 국외전출을 고려하고 있다면, 국외전출자 과세제도를 염두에 두고 전문가와 상의해야만 세금을 줄일 수 있습니다.

나국제 씨는 결과적으로 일본에서 싱가포르로 이민을 가더라도 국외전출자 과세제도에 따라 현 시가에서 취득가액을 공제한 5억 엔 상당의 소득에 대한 소득세를 일본 국세청에 납부하여야 합니다.

참고

재일동포는 누구인가?

이 책에서는 한국과 일본의 상속 · 증여세를 다루고 있습니다. 사업 때문에 혹은 국제결혼으로 일본 또는 한국으로 이주하게 된 사람이 많을 것입니다.
한일관계에서 우리가 기억해야 하는 부분이 "재일동포"라는 존재입니다.

아시다시피 일본에는 많은 동포가 살고 있습니다. "동포"니까 한국의 형제들에게 재산을 증여하고 싶은 사람도 있을 것이고, 상속인이 한국 거주자일 경우도 있을 것입니다.
이런 경우 어느 나라 법을 적용해야 할까요?
이를 판단하는 것이 국제 상속 실무의 시작이 됩니다.

국제세무에 관한 서적이 국적 판정 등의 해설에 페이지를 할애하고 있는 것도 그 때문입니다. 그중에는 한국과 일본을 중심으로 쓰여진 것도 있지만, '재일동포'에 대해 언급하고 있는 것은 보이지 않습니다. 원래 세무 분야가 아닌 데다 재일동포의 역사를 알고 일본, 대한민국, 북한의 관계법규를 이해한 후 판단되는 특수한 사항이기 때문이라고 추측됩니다.
이 기회에 조금 확인해 보도록 하겠습니다.

1. 재일동포란 어떤 사람들인가?

"출입국 관리 및 난민 인정법 및 일본과의 평화 조약에 근거하여 일본의 국적을 이탈한 자 등의 출입국관리에 관한 특례 법"에 정하는 "특별 영주자"로서 기본적으로 1945년 9월 2일 이전부터 일본에 거주하고 있는 한국인 · 조선인 및 그 후손을 일반적으로 "재일동포"라고 합니다. 따라서 일본인과 결혼하여 일본에 주소를 가지고 일본의 영주권을 취득하고 있다 해도 여기서 말하는 "재일동포"에는 포함되지 않습니다.

참고

2. 재일동포의 국적은 "일본"인가?

한국에서는 재일동포를 일본인으로 인식하고 있는 사람이 적지 않은 것 같습니다. 직접 일본에 건너간 1세를 제외하고 일본 태생에 일본에서 자라서 한국말도 못하고 징병을 비롯한 국민의 의무를 다하고 있지 않기 때문에 그렇게 생각하는 것도 무리는 아닙니다. 하지만 그렇지 않습니다.
일본의 국적법은 한국과 같이, 아버지 또는 어머니가 일본 국민일 때 등을 출생에 의한 국적 취득의 요건으로 하고 있습니다. 따라서 귀화하지 않은 재일동포 사이에서 태어난 자식은 귀화에 의해 일본 국적을 취득하지 않는 한 외국인이며, 주민표의 국적란에는 "한국" 또는 "조선"이라고 표기되어 있습니다.

[근거법] 일본 국적법

제2조(출생에 의한 국적의 취득)
자녀는 다음 경우에는 일본국민으로 한다.
1. 출생 시에 부(父) 또는 모(母)가 일본국민일 때
2. 출생 전에 사망한 부(父)가 사망 시에 일본국민이었을 때
3. 일본에서 태어난 경우에 있어서 부모를 모두 모를 때 또는 국적을 가지지 않을 때

제4조(귀화)
① 일본국민이 아닌 자(이하 "외국인"이라 한다)는 귀화에 따라 일본국적을 취득할 수 있다.
② 귀화를 하려면 법무대신의 허가를 얻어야 한다.

3. 국적란에 "조선"이라고 표기되어 있는 재일동포는 북한출신자 및 그 자손인가?

대부분의 재일동포의 고향(본적)은 현재 대한민국에 있습니다. 그럼에도 불구하고

참고

"조선"이라고 표기되어 있는 이유를 시계열로 설명하면 대략 다음과 같습니다.
1910년 한일 병합 조약 체결로 당시 조선인들 모두 일본 국적으로 되었다.
1923년 조선 호적령이 시행되었다(재일동포가 기재된다).
1945년 일본이 포츠담 선언을 받아들여 해방이 되었으나, 동포의 국적이 즉시 변경되지 않았다.
1947년 일본에서 "외국인등록령"이 공포되고, 대만인 중 내무대신이 정한 자 및 조선인은 이 칙령의 적용에 대해서는 당분간 이를 외국인으로 간주한다(제11조)고 되었다. 외국인으로 간주된 동포는 일률적으로 조선인으로 간주되었지만, "조선"은 한반도 출신임을 의미하는 "기호"에 불과하며 국적은 여전히 일본이었다.
1948년 남북이 각각 독립을 선언. 그 해 12월 한국에서 "국적법"이 제정 · 시행되었다.
1950년 일본에서 현행 헌법 하에서 "국적법"이 시행되었다.
같은 해 본인의 신청에 의해 국적란의 "조선" 표시를 "한국"으로 변경하는 수속이 개시되었지만, 일본 국적이라는 것에는 변함이 없었다.
1951년 국적란의 표시를 "한국"으로 변경할 때, 본인의 신청뿐만 아니라 "대한민국 국민 등록증"을 첨부하게 되었다.
1952년 샌프란시스코 강화 조약(일본국과의 평화 조약)이 발효되었다.
1952년 4월 19일부 법무부 민사갑 제438호 법무부 민사국장통달 "평화조약에 따른 조선인, 대만인 등에 관련된 국적 및 호적사무의 처리에 대하여(통달)"에 의하여 "조선 및 대만은 조약의 발효일부터 일본국의 영토에서 불리됨으로 이에 따라 조선인 및 대만인은 내지에 거주하는 사람을 포함해서 모두 일본 국적을 상실한다"고 되었다.
구 외국인등록령은 폐지되고 "외국인등록법"이 시행되었다.
1960년 한국에서 "호적법"이 시행되었다. 여기에 재일동포 1세의 이름은 그대로 기재되었다.
1963년 북한에서 "국적법"이 시행되었다.
1965년 "대한민국과 일본 간의 기본 관계에 관한 조약"이 체결되어 한일 국교가 정상화되었다.
1991년 "일본국과의 평화조약에 근거해 일본 국적을 이탈한 자 등의 출입국 관

참고

리에 대한 특례법"에서 재일동포는 정식으로 일본 국적을 갖지 않는 외국인으로 정의되었다.
1993년 일본의 "외국인등록법"이 일부 개정되어 가족에 관한 사항이 등록 사항에 추가되었다.
1997년 북한에서 "공민등록법"이 시행되었다.
2008년 한국에서 "가족 관계 등록 등에 관한 법률"이 시행되고 호적법이 폐지되었다.
2012년 일본에서 "외국인등록법"이 폐지되고 외국인도 주민 기본 대장법에 의해서 관리하게 되었다.

1965년 국교정상화 이후에도 재일동포의 국적란이 자동적으로 다시 씌어지는 것은 아니였고, 지금까지도 스스로 하지 않는 한 "조선" 표기 그대로입니다. 이것이 한국출신자 또는 그 자손이면서 "조선인"이라고 불리는 사람이 있는 절차상의 이유입니다.

일본 정부는 "한국"은 국적을 나타내는 것이며, "조선"은 지역을 나타내는 것일 뿐 국적을 나타내는 것은 아니라는 견해를 보이고 있습니다.

4. 국적란이 "조선"이더라도, 한국출신의 재일동포라면 한국인이라고 생각해도 되는가?

그렇지만도 않습니다.
예를 들면 상속의 개시가 있었을 경우, 국적을 연결점으로서 준거법(복수의 법질서에서 관계를 가지는 사법적 생활 관계가 발생한 경우, 국제사법에 의해 그 법률 관계를 규율하는 법)을 결정해야 하지만, 국적은 본적이나 과거의 거소 등의 객관적 요소 외에 본인의 귀속 의사라는 주관적 요소도 포함해 전체적으로 고려해야 한다고 되어 있습니다.

우선 국적란이 "한국"이라는 것은 국민등록을 비롯한 일련의 수속을 스스로 실시했다는 것이므로, 일부 사람을 제외하고 귀속 의사도 있는 경우가 많을지도 모릅니다. 그러나 "조선" 표기의 동포들은 그리 간단하지 않습니다. 일반적으로 "북한계의 사람"으로 인식되고 있는 것도 사실이지만 "공화국(북한)을 지지하기 때문에, 해방 후 북한에 건너간 친척들을 만나기 위해, 북한은 지지하지 않지만 남한도 지지하기 어렵다, 통일되면 통일국가 국민이 된다, 부모가 생존하는 동안에는 부모를 따르겠다, 나날의 생활에 쫓기어 생각할 여유도 없이 필요를 느끼지 못하므로 방치하고 있다"는 등 여러 가지인 것이 현실입니다.

그리고, 역사적 배경으로부터 많은 재일동포는 양쪽 모두의 국민으로서의 요건을 충족하고 있습니다.

※ 국제사법상 미승인국의 법 적용에 문제는 없다고 여겨지고 있습니다.

한국 국적법
제2조(출생에 의한 국적 취득)
① 다음 각호의 어느 하나에 해당하는 자는 출생과 동시에 대한민국 국적(國籍)을 취득한다.
1. 출생 당시에 부(父) 또는 모(母)가 대한민국의 국민인 자
2. 출생하기 전에 부가 사망한 경우에는 그 사망 당시에 부가 대한민국의 국민이었던 자
3. 부모가 모두 분명하지 아니한 경우나 국적이 없는 경우에는 대한민국에서 출생한 자

② 대한민국에서 발견된 기아(棄兒)는 대한민국에서 출생한 것으로 추정한다.

북한 국적법(1999. 2. 26. 일부 개정)
제2조(공민의 자격)
조선민주주의인민공화국 공민은 다음과 같다.
1. 공화국 창건 이전에 조선의 국적을 소유하였던 조선사람과 그의 자녀로서 그 국적을 포기하지 않는 자
2. 다른 나라 공민 또는 무국적자로 있다가 합법적 절차로 공화국 국적을 취득한 자

참고

제5조(출생에 의한 국적 취득)
다음에 해당하는 자는 출생에 의하여 조선민주주의인민공화국 국적을 취득한다.
1. 공화국 공민 사이에 출생한 자
(이하 생략)

이 부분에서는 국적란의 기재와 일치하지 않는 경우가 있다라고 할 수 있습니다.

5. 일본에서 사용되고 있는 "자이니치 (재일)코리안"이라는 말은 "재일동포"와 같은 뜻인가?

네, 같은 의미로 사용되고 있습니다. 또 단지 "재일"이라고 하는 것만으로 "재일한국 · 조선인"이라는 것을 알 수 있기도 합니다. "당신은 자이니치이신가요?"라는 식입니다. 언제부터 "코리안"이라고 하게 되었는지 확실치 않지만, 매번 재일한국 · 조선인이라고 하는 것은 길고 귀찮고, "재일한국인", "재일조선인"이라고 하는 식으로 어느 한쪽으로만 표현하면 다른 쪽에서 항의받는 일도 있어 사용하게 된 것이라고 생각합니다. 게다가, 맥락에 따라서는 일본에 귀화한 사람들도 "재일동포"에 포함하므로 그와 같은 경우에도 편리하게 사용할 수 있는 표현일지도 모릅니다.

실제로 상속 절차에 있어서는 일본에 귀화한 동포의 "일본인이 되기 전"의 증명서류도 필요하므로, "재일동포"에 포함시켜 검토해야 합니다.

PART Ⅱ

국제 상속이 발생하면… 확인하자

상속재산을 조회하는 통합적인 시스템으로 편리하게 상속재산을 찾고 싶다

재일동포인 나국제 씨의 어머니인 나조모 씨가 며칠 전에 사망하였는데, 상속재산은 어떻게 찾아야 할까요?

상속재산을 쉽고 빠르게 찾을 수 있는 시스템이 한국에 있을까요?

한국에서 기존에 사망자의 재산을 조회하기 위해서는 국민연금공단, 금융감독원, 관할 세무서 등 7곳에 개별적으로 신청해야 했습니다. 그러나, 2016. 2. 15.부터 "안심상속통합서비스"가 출시되어 이를 이용하시면 훨씬 간편하게 재산을 조회할 수 있게 되었습니다(정부24).

상속인(또는 후견인)이 금융내역(예금 · 보험 · 증권 등) · 토지 · 자동차 · 세금(지방세 · 국세) · 연금(국민 · 공무원 · 사학 · 군인) 가입유무 등 사망자(또는 피후견인) 재산의 조회를 시구, 읍면동에서 한 번에 통합신청하는 서비스입니다. 방문신청 혹은 온라인신청이 가능하며, 정부24(www.gov.kr) 접속 → 공인인증서 본인인증 → 신청서 작성 → 구비서류(가족관계증명서) 교부 신청 및 수수료 결제 → 접수처(주민센터)에서 확인 · 접수 → 접수증 출력하면 됩니다.

조회결과는 아래에서 확인할 수 있습니다.

- 금융내역: 문자 또는 금융감독원 홈페이지(www.fss.or.kr)
- 국세: 문자 또는 국세청 홈택스 홈페이지(www.hometax.go.kr)
- 국민연금: 문자 또는 국민연금공단 홈페이지(www.nps.or.kr)
- 공무원 · 사학 · 군인연금: 문자
- 토지 · 지방세: 문자 · 우편 · 방문 중 선택
- 자동차: 접수처에서 안내(온라인 신청시 문자 · 우편 · 방문 중 선택)

행정안전부

안심상속 원스톱서비스

금융·토지·건축물 등 고인의 재산 조회 안심상속 원스톱서비스!
온라인 또는 가까운 주민센터에서 한번에 신청하세요!

2018.9.7.부터 건축물 재산 및 건설근로자퇴직공제금 조회가 가능합니다.

안심상속 원스톱 서비스란?

금융내역(예금·대출·보험 등), 자동차, 건축물, 토지, 세금(체납액·미납액·환급액), 연금가입유무 등 상속재산 조회를 한번에 통합신청하는 서비스

온라인 신청

안심상속 원스톱서비스, 정부24(www.gov.kr)에서 신청할 수 있습니다.

신청자격	**제1순위 상속인(자녀, 배우자), 제2순위 상속인(부모, 배우자)** * 제1순위 상속인의 상속포기로 인한 제2순위 상속인은 제외
신청방법	정부24 접속 (www.gov.kr) › 공인인증서 본인인증 › 신청서 작성 › 구비서류(가족관계증명서) 교부 신청 및 수수료 결제 › 접수처(주민센터) 확인·접수 › 접수증 출력

방문 신청

신청자격	• **상속인** : 제1순위(자녀,배우자), 제2순위(부모, 배우자), 제3순위(형제, 자매)/대습상속인, 실종선고자의 상속인 ※ 사망일이 속한달의 말일부터 6개월 이내 • **후견인** : 법원에 의해 선임된 성년후견인 및 권한 있는 한정후견인
신청장소	가까운 시·구, 읍·면·동(주민센터)
구비서류	• **사망자 재산조회시** : 신분증, 가족관계증명서 등 상속관계 증빙서류 • **피후견인 재산조회시** : 후견등기사항전부증명서 또는 성년(한정)후견개시심판문 및 확정증명원
신청방법	**방문 신청** › **신청 확인** › **신청 결과 확인** 방문 신청: 가까운 시·구, 읍·면·동 방문 신청 확인: · 접수증 수령 · 안내문 확인 신청 결과 확인: · 지방세·자동차·토지·건축물 …… 신청서에서 선택한 방법에 따라 확인 · 국세 …… 문자 또는 www.hometax.go.kr에서 확인 · 금융 …… 문자 또는 www.fss.or.kr에서 확인 · 국민연금 …… 문자 또는 www.nps.or.kr에서 확인 · 공무원·사학·군인연금 …… 문자 서비스 확인 · 건설근로자퇴직공제금 …… 문자 서비스 또는 www.cwma.or.kr에서 확인

문 의 처 : [금융내역] 금융감독원 ☎1332, [국세] 국세청 ☎126, [국민연금] 국민연금공단 ☎1355, [군인연금] 국방부 ☎1577-9090, [공무원연금] 공무원연금공단 ☎1588-4321, [사학연금] 사립학교교직원연금공단 ☎1588-4110, [건설근로자퇴직공제금] 건설근로자공제회 ☎1666-1122, [토지·지방세·자동차] 가까운 시·구청 해당부서에서 문의하시기 바랍니다.

※유의사항 : 이 서비스는 금융 · 토지 · 자동차 · 세금 · 연금 등에 대한 조회만 가능합니다. 그 밖의 재산은 신청인(본인)이 별도로 확인해야 합니다.

단독 수익자로 지정되어 있는 보험금은 분할협의 대상이 될까?

나국제 씨는 해외에 거주하고 있는 재외국민인데, 한국 국적인 어머니 나조모 씨가 지난달에 사망하였습니다. 이때 어머니가 계약한 보험 중에 나국제 씨가 수익자로 지정되어 있습니다.

보험금 1억 원은 상속재산 분할협의의 대상이 될까요?

"상속인이 수익자로 지정되어 있는 보험금은 상속재산이 아닌 고유재산이므로 상속되지 않습니다."

•••

한국의 상속법 체계에서는 보험금청구권의 경우 ① 피상속인이 피보험자이고 보험수익자가 상속인인 경우의 보험금지급청구권과 이로 인한 보험금은 상법 제730조에 따른 것으로 상속인의 고유한 재산이 됩니다. 따리서 싱속인 중 한 사람이 보험금지급청구권을 갖는다 하더라도 다른 상속인은 이에 대해 상속재산분할을 청구할 수 없습니다(대법원 2007. 11. 30. 선고 2005두5529 판결 참조). 반면, ② 보험수익자를 피상속인으로 정한 경우에는 보험금지급청구권과 이로 인한 보험금은 피상속인의 사망으로 인하여 피상속인의 재산이 되며, 이는 상속재산이 됩니다.

참고로, 한국에서 상속재산 및 고유재산에 관한 구체적인 내용은 다음과 같습니다.

상속재산이 되는 적극재산에는 1) 부동산 · 동산 등 물건, 2) 물건에 대한 소유권, 점유권, 유치권, 질권, 저당권, 3) 특정인에게 특정행위를 요구하는 채권(생명침해에 대한 손해배상청구권, 위자료청구권, 이혼에 의한 재산분할청구권, 주식회사의 주주권), 4) 특허권 등의 지적재산권이 있으며, 소극재산인 조세, 채무 등이 있습니다.

한편, 상속재산이 되지 않는 상속인의 고유재산에는 1) 위임계약의 당사자의 지위, 사용자의 지위, 조합원의 지위뿐만 아니라 피상속인에게 부과된 벌금, 과태료 등 일신전속적인 권리, 2) 생명보험금청구권, 퇴직연금 · 유족연금의 청구권, 부의금, 계속적 보증계약의 보증채무(2000다47187판결) 등 법률 또는 계약에 의해 귀속이 결정되는 권리가 있습니다.

[법적 근거]

판결 요지(대법원 2007. 11. 30. 선고 2005두5529 판결)

보험계약자가 자기 이외의 제3자를 피보험자로 하고 자기 자신을 보험수익자로 하여 맺은 생명보험계약에 있어서 보험존속 중에 보험수익자가 사망한 경우에는 상법 제733조 제3항 후단 소정의 보험계약자가 다시 보험수익자를 지정하지 아니하고 사망한 경우에 준하여 보험수익자의 상속인이 보험수익자가 되고, 이는 보험수익자와 피보험자가 동시에 사망한 것으로 추정되는 경우에도 달리 볼 것은 아니며, 이러한 경우 보험수익자의 상속인이 피보험자의 사망이라는 보험사고가 발생한 때에 보험수익자의 지위에서 보험자에 대하여 가지는 보험금지급청구권은 상속재산이 아니라 상속인의 고유재산이다.

일본에서 한 상속포기는 한국에서도 유효할까?

나국제 씨의 아버지인 나조부 씨는 한국 국적인데, 일본에서 살다가 사망하였습니다. 나국제 씨는 아버지가 사망한 후 재산을 확인한 결과 대부분이 채무라서 지난 달 도쿄가정재판소에 상속포기 신고를 하였습니다. 그러나, 나조부 씨의 배우자인 나조모 씨(서울 거주)는 상속포기를 하지 않았고, 오히려 한국에 있던 나조부 씨의 부동산을 찾아내어 소유권이전등기를 하였습니다.

일본에서 나국제 씨가 한 상속포기는 한국에서 효력이 있는 걸까요? 아니면 효력이 없는 것이므로, 나조모 씨를 상대로 소유권이전등기의 말소를 구할 수 있을까요?

일본에서 한 상속포기는 유효합니다. 국제사법상 상속에 관한 준거법은 사망한 피상속인의 본국법인 대한민국 민법이 원칙이지만, 법률행위 방식은 행위지법인 일본법에 의한 것도 유효하기 때문에(국제사법 제17조 제2항) 일본 법원에 신청한 상속포기는 유효합니다. 이때 일본법원에 한 상속포기 신청은 국제사법 제17조 제5항이 행위지법 적용을 배제하고 있는 '물권 그밖에 등기해야 하는 권리를 정하거나 처분하는 법률행위'에 해당하므로, 대한민국의 부동산에 대해서는 효력이 없다는 의문이 제기될 수 있습니다. 그러나, 상속포기는 신분권과 관련된 포괄적인 권리의무의 승계에 관한 것으로, 행위지법의 적용을 배제하고 있는 법률행위에 해당하지 않는다는 것이 판례의 입장입니다(대구고등법원 2015. 4. 22. 선고 2014나2007 판결).

한편, 위의 사실관계와 유사한 사안에서 법원은 대한민국 국적을 가진 사람이 일본에 살다가 사망했는데, 상속인이 일본 법원에 상속포기를 신청하여 수리되었다면 우리나라에 있는 부동산 등 재산에도 상속포기의 효력이 미친다고 한 바 있습니다.

[법적 근거]

1. 관련 조문

국제사법 제17조(법률행위의 방식) ① 법률행위의 방식은 그 행위의 준거법에 의한다.
② 행위지법에 의하여 행한 법률행위의 방식은 제1항의 규정에 불구하고 유효하다.
③ 당사자가 계약체결시 서로 다른 국가에 있는 때에는 그 국가 중 어느 한 국가의 법이 정한 법률행위의 방식에 의할 수 있다.
④ 대리인에 의한 법률행위의 경우에는 대리인이 있는 국가를 기준으로 제2항에 규정된 행위지법을 정한다.
⑤ 제2항 내지 제4항의 규정은 물권 그 밖에 등기하여야 하는 권리를 설정하거나 처분하는 법률행위의 방식에 관하여는 이를 적용하지 아니한다.

민법 제1019조(승인, 포기의 기간) ① 상속인은 상속개시있음을 안 날로부터 3월 내에 단순승인이나 한정승인 또는 포기를 할 수 있다. 그러나 그 기간은 이해관계인 또는 검사의 청구에 의하여 가정법원이 이를 연장할 수 있다.

2. 판결 요지(대구고등법원 2015. 4. 22. 선고 2014나2007 판결)

국제사법상 상속에 관한 준거법은 '사망 당시 피상속인의 본국법'이 원칙이지만(국제사법 제49조), 법률행위의 방식은 행위지법에 의한 것도 유효하다(국제사법 제17조 제2항). 상속포기는 신분권과 관련된 포괄적인 권리의무의 승계에 관한 것으로, 국제사법 제17조 제5항에서 행위지법의 적용을 배제하고 있는 '물권 그밖에 등기하여야 하는 권리를 정하거나 처분하는 법률행위'에 해당하지 않는다. 따라서 원고들이 행위지법에 따라 일본 재판소에 신고한 이 사건 각 상속포기는 유효하다.

그리고 국제사법의 적용대상이 되는 상속관계에서 그 상속포기기간의 연장결정을 국내 가정법원으로부터 받을 것인지, 외국 가정법원으로부터 받을 것인지의 문제는 법률행위의 방식에 관한 것으로, 국제사법 제17조 제2항에 따라 행위지법에 의할 수도 있다고 할 것이다.

따라서 일부 원고들이 상속개시를 안 날로부터 3개월 내에 행위지법인 일본 민법에 따라 일본 가정재판소로부터 상속포기신고기간을 연장받은 뒤 그 연장기간 내에 상속포기신고를 하였으므로, 위 각 상속포기는 모두 유효하다.

상속포기 제대로 하자

재일한국인인 나조부(한국 국적) 씨는 일본에서 사망하였습니다. 나조부 씨는 일본에는 주택, 한국에서는 공장을 남기고 사망하였습니다. 나조부 씨의 상속인은 일본에서 거주하고 있는 배우자(나조모)와 아들(나국제)이 있습니다.

나국제 씨는 아버지의 재산에 대한 명의변경에 대해서 고민하고 있었습니다. 그러던 중 아버지가 사망한지 1년이 경과하고 나서, 아버지가 일본은행에 거액의 부채가 있다는 것을 알게 되었습니다. 나국제 씨는 상속포기를 하려고 생각 중에 있습니다. 이때 나국제 씨는 상속포기를 어디서 해야 되는지 궁금한 상황입니다.

나국제 씨는 주변에 자료를 찾아보던 중 자기 자신과 아버지는 일본에서 거주를 한 상황이었습니다. 그런데 한국에서 상속포기를 해야 된다는 소리를 들었습니다. 과연 나국제 씨는 한국에서 상속포기를 하는 것이 맞는 것일까요?

사람이 사망을 하게 되면 다양한 절차 등이 필요하게 됩니다. 그 절차의 하나 중에 상속포기라는 것이 있습니다. 상속에 관련된 법률관계는 피상속인이 사망할 당시의 본국 국적법에 의해 적용됩니다. 그렇기 때문에 나조부 씨의 상속은 원칙적으로 한국의 민법이 적용됩니다.

나조부 씨에게는 한국의 법률이 적용되기 때문에, 나부 씨의 경우 한국의 법률에 의해서 상속포기 신고를 하는 것이 필요합니다. 한국의 민법에는 "상속인은 상속개시가 있음을 안 날로부터 3개월 내에 단순승인이나 한정승인 또는 포기를 할 수 있다. 그러나 그 기간은 이해관계인 또는 검사의 청구에 의하여 가정법원이 이를 연장할 수 있다."라고 규정하고 있고, 그 효력은 상속개시 당시로 소급하여 효력을 발휘한다고 규정하고 있습니다. 즉, 피상속인이 사망한 것을 안 날로부터 3개월 이내에 가정법원에 상속포기의 신고를 하면, 상속개시일로 소급해서 처음부터 상속인이 아닌 것으로 보게 됩니다. 다만, 예외적으로 상속포기를 할 때 반드시 본국법(위 사례의 경우 한국)에 의해서 적용된다고 볼 수는 없습니다. 국제사법상 상속에 관한 준거법은 사망한 피상속인의 본국법에 의해 적용되지만, 법률행위 방식은 행위지법인 일본법에 의한 것도 유효하기 때문에 일본 법원에 상속포기를 신청한 경우에도 유효합니다(대구고등법원 2015. 4. 22. 선고 2014나2007 판결).

그리고 "위의 규정에 불구하고 상속인은 상속채무가 상속재산을 초과하는 사실을 중대한 과실없이 제1항의 기간 내에 알지 못하고 단순승인(제1026조 제1호 및 제2호의 규정에 의하여 단순승인한 것으로 보는 경우를 포함한다)을 한 경우에는 그 사실을 안 날부터 3월 내에 한정승인을 할 수 있다."라고 규정하고 있습니다.

일본민법에 따른 상속포기

상속포기의 결과, 상속의 포기자는 처음부터 상속인이 아니었던 것으로 간주하기 (일민법939) 때문에, 포기자는 대습상속을 하는 것은 불가능합니다.

상속포기를 하게 되면, 상속을 포기한 사람은 상속인이 될 수 없습니다. 그렇기 때문에 상속포기를 하게 되면 다음 순위의 상속인이 상속인이 되게 됩니다. 그렇기 때문에 상속포기의 경우에도 신중하게 판단을 하여 결정하는 것이 필요합니다.

이때 나국제 씨의 경우 상속포기의 기한은 경과하였지만 상속채무가 상속재산을 초과하는 사실을 중대한 과실 없이 상속포기 기간 내에 알지 못하고 단순승인이나 단순승인한 것으로 보는 경우에 해당된다면, 상속채무가 상속재산을 초과하는 사실을 안 날로부터 3개월 내에 한정승인을 할 수 있으므로 한정승인을 신청하는 것도 고려해볼 수 있습니다.

상속세는 법정상속인, 피상속인의 배우자, 상속결격자 또는 상속포기자, 대습상속인, 특별연고자 및 수유자(유증 또는 사인증여로 재산을 취득하는 자로서 상속인이 아닌 자)가 납부할 의무가 있습니다. 예전 대법원에서 상속포기를 한 경우 민법상 상속인이 아니므로 상속세 납세의무 및 연대납세의무가 없는 것으로 판결함에 따라 그 후 최초로 상속개시 되는 분부터는 사전증여 받은 자가 상속포기를 한 경우에도 상속세 납세의무가 있다고 상속세 납부의무 규정을 개정하였습니다.

상속포기와 한정승인의 차이점

- 상속포기

  상속인의 지위를 포기하는 것으로, 재산과 빚 모두 물려받지 않겠다는 것입니다. 상속은 재산 상속만이 아니라 채무도 상속됩니다. 따라서, 상속 재산이 하나도 없더라도 피상속인이 채무를 지고 있는 때는 상속인들이 그 채무를 상속하게 되어 이를 변제해야 하는 의무를 지게 됩니다. 이 경우 상속인은 상속포기나 상속한정승인을 택할 수 있습니다.

- 한정승인

  상속인이 상속에 의하여 얻은 재산의 한도 안에서만 피상속인의 채무 및 유증(遺贈)을 변제하는 책임을 지는 상속의 승인을 말합니다(민법 제1028조).

  피상속인의 채무는 상속재산만으로써 청산하며, 상속재산이 부족하면 상속인은 자기재산으로 변제할 의무가 없습니다. 한편, 청산의 결과 상속재산이 남으면 이것은 상속인에 귀속합니다. 상속재산이 결손임이 분명한 때에는 상속을 포기하면 그만이지만, 이익인지 결손인지 알 수 없는 때에 이 제도의 효과가 발휘됩니다.

◎ 관련 법률

민법 제1019조(승인, 포기의 기간)

상속인은 상속개시있음을 안 날로부터 3월 내에 단순승인이나 한정승인 또는 포기를 할 수 있다. 그러나 그 기간은 이해관계인 또는 검사의 청구에 의하여 가정법원이 이를 연장할 수 있다.
상속인은 제1항의 승인 또는 포기를 하기 전에 상속재산을 조사할 수 있다.
제1항의 규정에 불구하고 상속인은 상속채무가 상속재산을 초과하는 사실을 중대한 과실없이 제1항의 기간 내에 알지 못하고 단순승인(제1026조 제1호 및 제2호의 규정에 의하여 단순승인한 것으로 보는 경우를 포함한다)을 한 경우에는 그 사실을 안 날부터 3월 내에 한정승인을 할 수 있다.

민법 제1028조(한정승인의 효과)
상속인은 상속으로 인하여 취득할 재산의 한도에서 피상속인의 채무와 유증을 변제할 것을 조건으로 상속을 승인할 수 있다.
제1041조(포기의 방식) 상속인이 상속을 포기할 때에는 제1019조 제1항의 기간 내에 가정법원에 포기의 신고를 하여야 한다.
제1042조(포기의 소급효) 상속의 포기는 상속개시된 때에 소급하여 그 효력이 있다.

[관련 판례]

대법원 2017. 1. 12. 선고 2014다39824 판결

【판시사항】
상속포기의 효력이 피상속인을 피대습자로 하여 개시된 대습상속에 미치는지 여부(소극) 및 이는 상속인의 상속포기로 피대습자의 직계존속이 피대습자를 상속한 경우에도 마찬가지인지 여부(적극)
이때 피대습자의 직계존속이 사망할 당시 피대습자로부터 상속받은 재산 외에 고유재산을 소유하고 있었는지에 따라 달리 보아야 하는지 여부(소극)

상속인인 배우자와 자녀들이 상속포기를 한 후 피상속인의 직계존속이 사망하여 대습상속이 개시되었으나 대습상속인이 한정승인이나 상속포기를 하지 않은 경우, 단순승인을 한 것으로 간주되는지 여부(적극)

【판결요지】

피상속인의 사망으로 상속이 개시된 후 상속인이 상속을 포기하면 상속이 개시된 때에 소급하여 그 효력이 생긴다(민법 제1042조). 따라서 제1순위 상속권자인 배우자와 자녀들이 상속을 포기하면 제2순위에 있는 사람이 상속인이 된다. 상속포기의 효력은 피상속인의 사망으로 개시된 상속에만 미치고, 그 후 피상속인을 피대습자로 하여 개시된 대습상속에까지 미치지는 않는다. 대습상속은 상속과는 별개의 원인으로 발생하는 것인 데다가 대습상속이 개시되기 전에는 이를 포기하는 것이 허용되지 않기 때문이다. 이는 종전에 상속인의 상속포기로 피대습자의 직계존속이 피대습자를 상속한 경우에도 마찬가지이다. 또한 피대습자의 직계존속이 사망할 당시 피대습자로부터 상속받은 재산 외에 적극재산이든 소극재산이든 고유재산을 소유하고 있었는지에 따라 달리 볼 이유도 없다. 따라서 피상속인의 사망 후 상속채무가 상속재산을 초과하여 상속인인 배우자와 자녀들이 상속포기를 하였는데, 그 후 피상속인의 직계존속이 사망하여 민법 제1001조, 제1003조 제2항에 따라 대습상속이 개시된 경우에 대습상속인이 민법이 정한 절차와 방식에 따라 한정승인이나 상속포기를 하지 않으면 단순승인을 한 것으로 간주된다. 위와 같은 경우에 이미 사망한 피상속인의 배우자와 자녀들에게 피상속인의 직계존속의 사망으로 인한 대습상속도 포기하려는 의사가 있다고 볼 수 있지만, 그들이 상속포기의 절차와 방식에 따라 피상속인의 직계존속에 대한 상속포기를 하지 않으면 효력이 생기지 않는다. 이와 달리 피상속인에 대한 상속포기를 이유로 대습상속 포기의 효력까지 인정한다면 상속포기의 의사를 명확히 하고 법률관계를 획일적으로 처리함으로써 법적 안정성을 꾀하고자 하는 상속포기제도가 잠탈될 우려가 있다.

주택자금을 이미 증여받은 나국제 씨, 상속을 또 받을 수 있을까?

나국제 씨는 일본에 거주하고 있는 재일교포입니다. 한국 국적의 아버지인 나조부 씨가 지난달에 돌아가셨습니다. 상속인으로는 나국제 씨 이외에 형제 2명이 있으며, 상속재산으로 부동산, 예금 등 총 12억 원 정도가 있습니다. 그리고, 나국제 씨는 형제들 중 유일하게 5년 전에 아버지에게 주택자금으로 6억 원을 증여받았습니다.

현재 상속재산인 12억 원을 기준으로 3분의 1씩을 가져가야 하는 것인가요? 아니면 증여받은 6억 원을 상속재산에 포함시켜서 18억 원을 기준으로 3분의 1씩 가져야 하는 것일까요? 만약, 나조부 씨의 채무 현황을 정확하게 모르는 경우에도 전체 재산을 상속받아도 안전할까요?

사안에서 나국제 씨가 증여받은 주택자금은 한국민법상 특별수익분에 해당하기 때문에, 이 경우 전체 적극재산에 특별수익분을 더한 가액에 법정상속분을 곱하여 각자의 구체적인 상속분을 계산하게 됩니다. 사안에서는(전체 상속재산 가액 12억 원 + 특별수익분 6억 원) 법정상속분 3분의 1로서 나국제 씨를 제외한 나머지 형제들에게 6억 원씩 분할되게 됩니다.

한국에서 특별수익자란 공동상속인 중 피상속인으로부터 재산의 증여 또는 유증을 받은 사람을 말하는데(민법 제1008조), 어떠한 생전 증여가 특별수익에 해당하는지는 피상속인의 생전의 자산, 수입, 생활수준, 가정상황 등을 참작하고 공동상속인들 사이의 형평을 고려하여 해당 생전 증여가 장차 상속인으로 될 사람에게 돌아갈 상속재산 중 그의 몫의 일부를 미리 주는 것이라고 볼 수 있는지에 의하여 결정해야 합니다(대법원 1998. 12. 8. 선고 97므513,520,97스12 판결).

일반적으로 특별수익에 해당하는 유증 또는 증여의 예로서 ① 상속인인 자녀에게 생전에 증여한 결혼 준비자금(주택자금, 혼수비용 등), ② 상속인인 자녀에게 생전에 증여한 독립자금, ③ 상속인인 자녀에게 생전에 지급한 학비, 유학자금 등(다만, 대학 이상의 고등교육비용으로 다른 자녀에게는 증여되지 않은 교육비용이어야 함), ④ 일정 상속인에게만 유증한 재산 등이 있습니다.

한국 민법에서의 한정승인의 문제

상속되는 채무가 상속재산보다 많아서 상속으로 인해 채무초과 상태가 발생하는 경우 상속이 개시되었음을 알았을 때부터 3개월 내에 상속의 포기를 가정법원에 신고함으로써 채무가 상속되는 것을 면할 수 있습니다(민법 제1019조 제1항). 그렇지 않는다면, 단순승인한 것으로 간주되어 상속채무를 갚아야 할 의무가 발생합니다(민법 제1026조).

만약, 상속되는 채무, 재산의 정확한 내역을 산정하는 데 어려움이 있는 경우라면, 상속이 개시되었음을 안 날로부터 3개월 이내에 한정승인을 할 수 있는데, 이는 채무 변제를 조건으로 재산을 상속하는 것을 말합니다(민법 제1028조).

한정승인을 하는 경우, 다음과 같은 장점이 있습니다. ① 소극재산(채무)이 적극재산보다 많더라도 적극재산만큼만 갚으면 되고, 만약 채무보다 재산이 많다면 채무를 갚고 남는 재산을 가질 수 있으므로 상속포기보다 유리합니다. ② 선순위 상속인이 전원 상속포기를 하면 후순위 상속인에게 상속권이 넘어가지만, 선순위자 중 1인이라도 한정승인을 하면 상속권이 넘어가지 않습니다.

그러나, 재산을 고의적으로 누락시키면 한정승인이 무효가 되고 단순승인한 것으로 간주되기 때문에 재산목록을 작성하는 데 부담이 있고, 상속재산에 부동산이 있으면 취득세를, 경매로 인하여 매각되더라도 양도소득세가 부과될 수 있다는 단점이 있습니다. 또한, 상속포기의 경우 채권자의 청구에 대하여 상속포기 사실을 이유로 항변하는 경우 대부분 채권자가 소를 취하하게 됩니다(원고패소판결로 인한 소송비용부담이 있으므로). 반면에, 한정승인을 하는 경우 상속재산의 범위에서 패소판결을 받게 되어 소송비용을 부담하게 되는 경우가 발생할 수 있습니다.

[법적 근거]

◎ 단순승인

제1025조(단순승인의 효과) 상속인이 단순승인을 한 때에는 제한없이 피상속인의 권리의무를 승계한다.

제1026조(법정단순승인) 다음 각호의 사유가 있는 경우에는 상속인이 단순승인을 한 것으로 본다.

1. 상속인이 상속재산에 대한 처분행위를 한 때
2. 상속인이 제1019조 제1항의 기간 내에 한정승인 또는 포기를 하지 아니한 때
3. 상속인이 한정승인 또는 포기를 한 후에 상속재산을 은닉하거나 부정소비하거나 고의로 재산목록에 기입하지 아니한 때

제1027조(법정단순승인의 예외) 상속인이 상속을 포기함으로 인하여 차순위 상속인이 상속을 승인한 때에는 전조 제3호의 사유는 상속의 승인으로 보지 아니한다.

◎ 한정승인

제1028조(한정승인의 효과) 상속인은 상속으로 인하여 취득할 재산의 한도에서 피상속인의 채무와 유증을 변제할 것을 조건으로 상속을 승인할 수 있다.

제1029조(공동상속인의 한정승인) 상속인이 수인인 때에는 각 상속인은 그 상속분에 응하여 취득할 재산의 한도에서 그 상속분에 의한 피상속인의 채무와 유증을 변제할 것을 조건으로 상속을 승인할 수 있다.

제1030조(한정승인의 방식) ① 상속인이 한정승인을 함에는 제1019조 제1항 또는 제3항의 기간 내에 상속재산의 목록을 첨부하여 법원에 한정승인의 신고를 하여야 한다.
② 제1019조 제3항의 규정에 의하여 한정승인을 한 경우 상속재산 중 이미 처분한 재산이 있는 때에는 그 목록과 가액을 함께 제출하여야 한다.

제1031조(한정승인과 재산상 권리의무의 불소멸) 상속인이 한정승인을 한 때에는 피상속인에 대한 상속인의 재산상 권리의무는 소멸하지 아니한다.

제1032조(채권자에 대한 공고, 최고) ① 한정승인자는 한정승인을 한 날로부터 5일 내에 일반상속채권자와 유증받은 자에 대하여 한정승인의 사실과 일정한 기간 내에 그 채권 또는 수증을 신고할 것을 공고하여야 한다. 그 기간은 2월 이상이어야 한다.
② 제88조 제2항, 제3항과 제89조의 규정은 전항의 경우에 준용한다.

◎ 상속포기

제1041조(포기의 방식) 상속인이 상속을 포기할 때에는 제1019조 제1항의 기간 내에 가정법원에 포기의 신고를 하여야 한다.

제1042조(포기의 소급효) 상속의 포기는 상속개시된 때에 소급하여 그 효력이 있다.

제1043조(포기한 상속재산의 귀속) 상속인이 수인인 경우에 어느 상속인이 상속을 포기한 때에는 그 상속분은 다른 상속인의 상속분의 비율로 그 상속인에게 귀속된다.

아버지의 유언으로부터 자신의 상속재산을 지키고 싶다

나국제 씨의 아버지 나조부 씨는 나조모 씨와 이혼한 후에 일본으로 귀화하였습니다. 지난달에 나조부 씨는 사망하면서 모든 재산을 일본인 처에게만 준다고 유언하였습니다.

한국에 있는 자녀인 나국제 씨는 상속을 받을 수 있을까요?

나국제 씨는 유류분감쇄청구권을 행사하여 유류분만큼의 상속분을 주장할 수 있습니다. 우선, 사안의 경우 유언과 관련하여 국제사법은 "유언은 유언 당시 유언자의 본국법에 의한다."고 규정하고 있기 때문에(법 제50조 제1항) 본 사안의 경우 피상속인의 본국법인 일본법에 따라 결정될 것입니다.

한국 민법의 유류분제도와 마찬가지로 일본에도 유류분 개념이 있습니다. 즉, 원칙적으로 유언자가 유언을 한 경우라면, 유언의 자유를 인정하여 그 내용대로 하되, 상속받을 사람의 생계를 고려해 상속액의 일정 부분을 법정상속인 몫으로 유보해 두도록 법에서 정해놓았습니다.

한국은 피상속인의 배우자와 직계비속은 법정상속분의 2분의 1, 직계존속과 형제자매는 3분의 1을 유류분으로 보장하고 있으며, 이를 넘어서는 유증이나 증여가 있을 때는 유류분 권리자가 일정한 범위 내에서 공동상속인 등을 대상으로 상속재산에 대한 반환 청구를 할 수 있습니다.

일본 민법의 경우에는 구체적인 유류분의 비율은 상속인이 직계존속만 있는 경우 피상속인 재산의 3분의 1(일본 민법 제1028조 제1호), 그 이외의 경우에는 전체에서 피상속인 재산의 2분의 1(법 제1028조 제2호)로 인정됩니다. 또한, 피상속인의 재산을 기초로 산정되기 때문에 우선 상속개시 당시 가지고 있었던 재산(법 제1029조 제1항)을 기초로 하되, 조건부권리 또는 존속기간의 불확정 권리에 대해서는 가정재판소가 선임한 감정인의 평가에 따라 가액을 산정하게 됩니다. 여기서 산입해야 할 증여란, 원칙적으로 상속개시 전 1년간 내에 한 것에 한하여 산입하나(법 제 1030조 제1항), 당사자 쌍방이 유류분을 침해할 것을 알고서 한 증여는 기간에 상관없이 가액을 산입(법 제1030조 제2항)하게 됩니다.

한편, 한국의 유류분반환청구권과 비슷한 권리로서 자신의 유류분이 침해되었다는 것을 이유로 유류분감쇄청구권이 존재하는데, 유류분권리자가 상속개시 및 감쇄하여야 할 증여 내지 유증이 있다는 것을 안 때로부터 1년 이내에 행사할 수 있습니다. 유류분감쇄청구권의 행사는 물권적 효력이 생기는 게 판례 입장이므로, 유류분감쇄청구권의 행사로 증여 및 유증은 유류분을 침해하는 한도에서 취소하고 수증자와 수유자가 취득한 권리는 그 한도에서 당연하게 유류분감쇄청구를 한 유류분권리자에게 귀속하게 됩니다(최고재판소 쇼와 51년 8월 30일 민집 30권 7호 768쪽, 최고재판소 평성 11년 6월 24일 민집 53권 5호 918쪽 참조).

[법적 근거]

한국 민법 제1112조(유류분의 권리자와 유류분) 상속인의 유류분은 다음 각호에 의한다.

1. 피상속인의 직계비속은 그 법정상속분의 2분의 1
2. 피상속인의 배우자는 그 법정상속분의 2분의 1
3. 피상속인의 직계존속은 그 법정상속분의 3분의 1
4. 피상속인의 형제자매는 그 법정상속분의 3분의 1

제1113조(유류분의 산정) ① 유류분은 피상속인의 상속 개시시에 있어서 가진 재산의 가액에 증여재산의 가액을 가산하고 채무의 전액을 공제하여 이를 산정한다.
② 조건부의 권리 또는 존속기간이 불확정한 권리는 가정법원이 선임한 감정인의 평가에 의하여 그 가격을 정한다.

제1114조(산입될 증여) 증여는 상속개시 전의 1년간에 행한 것에 한하여 제1113조의 규정에 의하여 그 가액을 산정한다. 당사자 쌍방이 유류분권리자에 손해를 가할 것을 알고 증여를 한 때에는 1년 전에 한 것도 같다.

제1117조(소멸시효) 반환의 청구권은 유류분권리자가 상속의 개시와 반환하여야 할 증여 또는 유증을 한 사실을 안 때로부터 1년 내에 하지 아니하면 시효에 의하여 소멸한다. 상속이 개시한 때로부터 10년을 경과한 때도 같다.

일본 민법 제1028조(유류분의 귀속 및 비율) 형제 · 자매 이외의 상속인은 유류분으로 다음 각호의 구분에 따라 각각 해당 각호에 정하는 비율에 상당하는 액수를 받는다.

1. 직계존속만 상속인인 경우 피상속인의 재산의 3분의 1
2. 전호에 열거한 이외의 경우 피상속인의 재산의 2분의 1

제1029조(유류분의 산정) ① 유류분은 피상속인이 상속 개시시에 있었던 재산의 가액에 그 증여한 재산의 가액을 더한 금액에서 채무의 전액을 공제하여 이를 산정한다.
② 조건부 권리 또는 존속 기간의 불확정한 권리는 가정 법원이 선임한 감정인의 평가에 따라 그 가격을 정한다.

제1030조 증여는 상속 개시 전 1년에 한 것에 한하여 제51조에 의해 그 가액을 산입한다. 당사자 쌍방이 유류분 권리자에게 손해를 가할 것을 알고 증여를 한 때에는 1년 이전에 한 것에 대해서도 동일하다.

제1031조(유증 또는 증여의 감쇄 청구) 유류분권리자 및 그 승계인은 유류분을 보전하기 위하여 필요한 한도에서 유증 및 전조에 규정하는 증여의 감쇄를 청구할 수 있다.

제1032조(조건부 권리 등의 증여 또는 유증의 일부 감쇄) 조건부 권리 또는 존속 기간의 불확정한 권리를 증여 또는 유증의 목적으로 한 경우에 그 증여 또는 유증의 일부를 감쇄할 때에는 유류분권리자는 제1029조 제2항의 규정에 의하여 정한 가격에 따라 즉시 그 잔액을 수증자 또는 수유자에게 지급하여야 한다.

제1033조(증여 및 유증의 감쇄 순서) 증여는 유증을 감쇄한 후가 아니면 감쇄할 수 없다.

제1036조(수증자에 의한 과실의 반환) 수증자는 그 반환해야 할 재산 외에 감쇄의 청구가 있은 날 이후의 과실을 반환하여야 한다.

제1042조(감쇄청구권 기간의 제한) 감쇄의 청구권은 유류분권리자가 상속의 개시 및 감쇄할 증여 또는 유증이 있었다는 것을 알았을 때부터 1년간 행사하지 아니한 때에는 시효에 의해 소멸한다. 상속 개시 때부터 10년을 경과한 때에도 같다.

새로운 상속재산이 나타난 경우, 새롭게 재산분할협의를 할 수 있을까?

재일동포인 나국제 씨는 한국 국적의 아버지가 돌아가시면서 한국에 있는 부동산, 예금 등의 재산을 상속받게 되었습니다. 나국제 씨 이외에도 한국에 상속인이 2명이 더 있는데, 상속재산분할협의는 어떻게 진행하여야 하며, 만약 협의가 되지 않으면 재산분할심판절차는 어떻게 진행될까요?

그리고, 상속재산에 대해 협의분할을 마쳤는데 새로운 상속재산이 나타난 경우 새롭게 상속재산을 협의할 수 있을까요?

우선, 피상속인의 본국법인 한국의 민법이 준거법이 될 것입니다(국제사법 제49조). 관련 민법 규정을 살펴보면 다음과 같습니다.

만약, 피상속인이 상속재산의 분할방법을 유언으로 정하거나 또는 유언으로 상속인 이외의 제3자에게 분할방법을 정할 것을 위탁하는 경우 그에 따라 "지정분할"을 하게 되나(민법 제1012조), 피상속인의 분할금지의 유언이 없는 경우에는 우선 공동상속인이 협의로 분할하게 됩니다(민법 제1013조 제1항). 협의분할을 할 때에는 당사자 전원의 합의가 있으면 되고, 그에 관한 특별한 방식이 필요없습니다. 대금분할, 현물분할, 가격분할에 따를 수도 있고, 이를 절충하는 방법을 사용하여도 좋습니다.

상속재산 분할협의는 모든 상속인들이 참여하고 합의 내용에 전원이 동의해야 완료되기 때문에, 해외에 거주하고 있는 상속인들도 협의에 참여해야만 합니다. 시민권자, 영주권자 등 해외거주 중인 상속인은 직접 또는 대리인을 통해 상속재산 분할협의에 참여할 수 있습니다. 상속재산 분합협의시 준비하여야 하는 서류는 1) 거주국가에서 위임장, 거주사실확인서, 서명확인서, 동일인증명서, 상속재산분할협의서이며 직접 협의에 참여하는 경우 불필요한 경우도 있습니다. 2)

한국에서 준비할 서류는 인감 및 인감증명서 등이며, 인감이 없는 경우 협의서에 서명 후 서명인증서를 첨부합니다.

한편, 상속재산 분할협의가 되지 않는 경우 상속재산분할심판청구를 하여 심판절차가 개시됩니다. 상속재산의 심판분할을 위해 반드시 조정을 거쳐야 하며(가사소송법 제50조), 조정이 성립하지 않은 경우에만 가정법원의 심판분할절차가 진행됩니다(민사조정법 제36조).

상속재산의 분할심판(민법 제1013조 제2항)은 상속인 중 한 사람 또는 여러 사람이 나머지 상속인 전원을 상대방으로 하여 청구해야 하며(가사소송규칙 제110조), 상속재산분할청구는 그 성질이 공유물분할청구이므로 청구기한의 제한 없이 언제든지 가능합니다. 상속재산분할심판청구가 제기되면 가정법원은 재산분할에 관한 심판을 결정하게 되는데, 현물로 분할할 수 없거나 분할로 인하여 현저히 그 가액이 감손(減損)될 염려가 있는 때에는 법원은 물건의 경매를 명할 수 있습니다(민법 제1013조 제2항 및 제269조 제2항).

또한, 새로운 상속재산이 나타난 경우의 분할협의에 대해서는 한국대법원의 입장에 따르면, 상속인 전원의 합의로 새로운 분할협의가 가능합니다.

상속재산 분할협의는 공동상속인들 사이에 이루어지는 일종의 계약입니다. 따라서 공동상속인들은 이미 이루어진 상속재산 분할협의의 전부 또는 일부를 전원의 합의에 의하여 해제한 다음 다시 새로운 분할협의를 할 수 있습니다. 이 경우 협의의 해제 및 새로운 분할협의에는 상속인 전원의 합의가 있어야 합니다(대법원 2004. 7. 8. 선고 2002다73203 판결 참조).

한편, 상속재산 분할협의가 합의해제되면 그 협의에 따른 이행으로 변동이 생겼던 물권은 당연히 그 분할협의가 없었던 원상태로 복귀하지만, 민법 제548조 제1항 단서의 규정상 이러한 합의해제를 가지고서는, 그 해제 전의 분할협의로부터 생긴 법률효과를 기초로 하여 새로운 이해관계를 가지게 되고 등기 · 인도 등으로 완전한 권리를 취득한 제3자의 권리를 해하지 못합니다(대법원 2004. 7. 8. 선고 2002다73203 판결 참조).

[법적 근거]

1. 관련 조문

민법 제1012조(유언에 의한 분할방법의 지정, 분할금지) 피상속인은 유언으로 상속재산의 분할방법을 정하거나 이를 정할 것을 제삼자에게 위탁할 수 있고 상속개시의 날로부터 5년을 초과하지 아니하는 기간내의 그 분할을 금지할 수 있다.

제1013조(협의에 의한 분할) ① 전조의 경우 외에는 공동상속인은 언제든지 그 협의에 의하여 상속재산을 분할할 수 있다.
② 제269조의 규정은 전항의 상속재산의 분할에 준용한다.

가사소송법 제50조(조정 전치주의) ① 나류 및 다류 가사소송사건과 마류 가사비송사건에 대하여 가정법원에 소를 제기하거나 심판을 청구하려는 사람은 먼저 조정을 신청하여야 한다.
② 제1항의 사건에 관하여 조정을 신청하지 아니하고 소를 제기하거나 심판을 청구한 경우에는 가정법원은 그 사건을 조정에 회부하여야 한다. 다만, 공시송달의 방법이 아니면 당사자의 어느 한쪽 또는 양쪽을 소환할 수 없거나 그 사건을 조정에 회부하더라도 조정이 성립될 수 없다고 인정하는 경우에는 그러하지 아니하다.

민사조정법 제36조(이의신청에 의한 소송으로의 이행) ① 다음 각호의 어느 하나에 해당하는 경우에는 조정신청을 한 때에 소가 제기된 것으로 본다.

1. 제26조에 따라 조정을 하지 아니하기로 하는 결정이 있는 경우
2. 제27조에 따라 조정이 성립되지 아니한 것으로 사건이 종결된 경우
3. 제30조 또는 제32조에 따른 조정을 갈음하는 결정에 대하여 제34조 제1항에 따른 기간 내에 이의신청이 있는 경우

2. 판결요지(대법원 2004. 7. 8. 선고 2002다73203 판결 근저당권말소)

상속재산 분할협의는 공동상속인들 사이에 이루어지는 일종의 계약으로서, 공동상속인들은 이미 이루어진 상속재산 분할협의의 전부 또는 일부를 전원의 합의에 의하여 해제한 다음, 다시 새로운 분할협의를 할 수 있고, 상속재산 분할협의가 합의해제되면 그 협의에 따른 이행으로 변동이 생겼던 물권은 당연히 그 분할협의가 없었던 원상태로 복귀하지만, 민법 제548조 제1항 단서의 규정상, 이러한 합의해제를 가지고서는, 그 해제 전의 분할협의로부터 생긴 법률효과를 기초로 하여 새로운 이해관계를 가지게 되고 등기 · 인도 등으로 완전한 권리를 취득한 제3자의 권리를 해하지 못한다고 보아야 한다.

나조부 씨의 소유 건물에 대한 임대료까지 상속받고 싶다

재일동포 나국제 씨의 아버지는 한국 국적으로 지난달 사망하면서 상속재산으로 10억 원 상당의 부동산을 남겼습니다. 상속인으로 나국제 씨 외에 나국제 씨의 형이 있습니다. 나국제 씨의 형은 2억 원을 생전에 아버지로부터 증여받았으며, 10억 원 상당의 부동산에서 상속개시 후 실제 분할시까지 1억 원의 임료가 발생하였습니다.

이 경우 임대료 역시 상속재산 분할의 대상이 될까요?

우선, 피상속인의 본국법인 한국의 민법이 준거법이 될 것입니다(국제사법 제49조). 관련한 한국 민법 규정을 살펴보면 다음과 같습니다.

상속재산의 과실(예를 들어 부동산의 차임, 지료, 주식의 배당금, 예금의 이자 등) 중 상속 개시시까지 발생한 부분은 당연히 상속재산이 되나, 상속개시 이후 실제 분할시까지 발생한 상속재산의 과실에 대해서는 여러 가지 견해가 나뉩니다. 현재 실무의 대다수는 대법원 판결(2007. 7. 26. 선고 2006므2757, 2764 판결 등)을 이유로 분할대상에서 제외하고 있습니다.

만약, 다수 판례에서 나타난 바대로 이를 분할대상에서 제외하는 경우 사안에서는 간주상속재산 12억 원(임료는 상속 개시시에 발생한 것이 아니므로 간주상속재산에 포함될 수 없음)에서 법정상속분액 각 6억 원, 구체적 상속분액 형 4억 원, 나국제 씨 6억 원이 될 것인바, 상속재산인 부동산을 형 2/5 지분, 나국제 3/5로 분할하거나, 부동산을 형(또는 나국제) 소유로 하고, 형이 나국제 씨에게 6억 원을 지급(또는 나국제 씨가 형에게 4억 원을 지급)하는 것으로 분할할 수 있습니다.

[법적 근거]

판결요지(대법원 2007. 7. 26. 선고 2006므2757 판결)

인지 전에 공동상속인들에 의해 이미 분할되거나 처분된 상속재산은 이를 분할받은 공동상속인이나 공동상속인들의 처분행위에 의해 이를 양수한 자에게 그 소유권이 확정적으로 귀속되는 것이며, 그 후 그 상속재산으로부터 발생하는 과실은 상속개시 당시 존재하지 않았던 것이어서 이를 상속재산에 해당한다 할 수 없고, 상속재산의 소유권을 취득한 자(분할받은 공동상속인 또는 공동상속인들로부터 양수한 자)가 민법 제102조에 따라 그 과실을 수취할 권능도 보유한다고 할 것이며, 민법 제1014조도 '이미 분할 내지 처분된 상속재산' 중 피인지자의 상속분에 상당한 가액의 지급청구권만을 규정하고 있을 뿐 '이미 분할 내지 처분된 상속재산으로부터 발생한 과실'에 대해서는 별도의 규정을 두지 않고 있으므로, 결국 민법 제1014조에 의한 상속분상당가액지급청구에 있어 상속재산으로부터 발생한 과실은 그 가액산정 대상에 포함된다고 할 수 없다.

한국에 거주하는 형제에게 빼앗긴 재산을 반환받고 싶다

재일동포 나국제 씨의 아버지 나조부 씨는 2010년경부터 한국에 거주하였는데, 최근에 치매로 정상적인 생활을 못하는 상황이었습니다. 지난달 돌아가시면서 별다른 유언은 남기시지 않았고, 부동산 6억 원, 예금자산 2억 원 정도가 있으며 자녀는 나국제 씨 이외에 2명이 더 있습니다.

그런데, 나조부 씨가 사망하자, 나조부 씨와 동거하던 나국제 씨의 형이 아버지가 자신에게 모두 증여한 것이라며 부동산을 자신의 명의로 소유권이전등기를 하고 예금도 모두 인출하였으며, 일체의 대화를 거부하고 있습니다.

나국제 씨는 자신의 상속재산을 어떤 방법으로 반환받을 수 있을까요?

만약, 부동산의 증여 등이 피상속인의 진정한 의사에 기한 것이 아니라 동거하는 큰 형이 임의로 한 것이라면, 이것은 원인무효에 해당하고 나머지 상속인들은 상속분 1/3씩을 반환해달라는 상속회복청구소송을 제기할 수 있습니다.

상속회복청구소송이 진행되면 나조부 씨가 중증 치매상태에서 정상적인 의사결정이 불가능한 상황이었으며, 이러한 상황에서 증여가 이루어졌다는 것에 대해 진단기록 등을 발급받아 입증해야 할 것입니다.

만약, 중증의 인지장애 상태가 아니어서 증여가 무효임을 입증하지 못한다면, 법정상속분의 절반인 1/6씩에 대한 유류분의 반환을 구할 수 있습니다. 실무상으로는 주위적으로 상속회복청구소송, 예비적으로 유류분반환청구소송을 동시에 진행합니다. 즉, 증여무효에 대한 판단을 우선적으로 하고, 무효가 아닌 유효가 되는 경우 예비적으로 유류분에 대한 반환을 청구하는 것입니다.

또한, 국제 상속 분쟁의 경우 부동산이나 예금 자산 등이 어느 한 국가에만 있지 않고, 상속회복청구소송 등의 확정판결을 받은 이후에 실제 강제집행의 문제도 있기 때문에, 한국어에 정통한 일본변호사나 일본어에 정통한 한국변호사가 동시에 협업하여 진행하는 경우가 많습니다.

특히 위 상속회복청구소송을 진행하기 전 위 부동산에 대해서는 처분금지가처분 또는 가압류를 진행하여 상속재산을 제3자에게 처분하거나 은닉하는 것을 막기 위하여 재산의 조사 및 사전처분을 신속하고 정확하게 해두어야 할 필요성이 매우 높기 때문에, 반드시 전문지식을 가진 변호사사무소 등에 상담하는 것이 필요합니다.

[법적 근거]

민법 제999조(상속회복청구권) ① 상속권이 참칭상속권자로 인하여 침해된 때에는 상속권자 또는 그 법정대리인은 상속회복의 소를 제기할 수 있다.
② 제1항의 상속회복청구권은 그 침해를 안 날부터 3년, 상속권의 침해행위가 있은 날부터 10년을 경과하면 소멸된다.

과연 어떻게 될까?

나홀로 씨는 1940년 한국인이지만 일본에서 태어났습니다. 이후 줄곧 일본에서 생활하였고, 일본에서 여느 일본인처럼 직장도 다니고, 평범하게 살아 왔습니다. 그러던 중 나홀로 씨는 일본에서 결혼은 하지 못하였고, 부모님도 돌아가시고 외톨이가 되었습니다.

나홀로 씨도 어느덧 70세의 나이에 접어들면서 병에 걸리게 되었습니다. 그러던 중 나홀로 씨는 병으로 세상을 뜨게 되었고, 나홀로 씨 명의로 되어있던 집과 예금 등이 남게 되었습니다.

나홀로 씨에게는 가족이 없었고, 나홀로 씨가 사망을 하자 나홀로 씨의 집으로 부과되었던 재산세가 당연히 체납처리가 되었습니다. 이에 재산세를 부과하였던 일본의 과세관청은 나홀로 씨의 사망 사실을 확인하게 되었습니다.

과연, 나홀로 씨가 남긴 재산에 대해서 압류가 되는 것일까요?

나홀로 씨의 경우는 상속인이 없이 사망하였기 때문에 굉장히 안타까운 사례라고 볼 수 있습니다. 상속세 신고 및 장례를 치러줄 가족도 없기에 참으로 안타깝다는 생각이 듭니다. 그러나 나홀로 씨는 큰 금액은 아니지만 집과 예금 등 나홀로 씨 명의의 재산이 있었고, 이 재산이 어떻게 처리가 되는지에 대하여 보면 상속인의 존부가 분명하지 아니하면 법원에 의해서 상속재산관리인을 선임하게 되고 이를 공고하게 됩니다. 그리하여 그 공고가 있는 날로부터 일정한 기한이 지나도 상속인이 나타나지 않을 경우에 상속재산은 결국 국가로 귀속되게 됩니다.

국가에 상속재산이 귀속되고 난 후에는 변제받지 못한 상속채권자나 유증을 받은 자가 있는 때에도 국가에 그 변제를 청구할 수 없습니다. 이처럼 안타까운 사연이지만, 간혹 발생할 수 있는 사례입니다. 일본에 거주하고 있는 재일동포분들에게서 발생하는 경우가 있는 사례이기에 그냥 지나쳐서는 안되는 부분입니다.

무조건 가족이라고 해서 상속인이 될 수 있는 것은 아닙니다. 특별연고자의 경우에는 법원의 허가를 얻어 상속재산의 전부 또는 일부를 분여할 수 있기 때문에, 이 부분 또한 잘 살펴보아야 할 것입니다.

특별연고자

특별연고자의 범위는 피상속인과 생계를 같이하고 있던 자, 피상속인의 요양간호를 한 자, 기타 피상속인과 특별한 연고가 있던 자를 말합니다. 특별연고자 제도는 그동안 상속에서 소외되었던 사실혼 관계의 배우자나, 사실상의 양자에게 상속재산의 분여권을 부여한다는 의미에서 피상속인의 유지에 부합하며, 요양간호를 한 자 또는 특별연고자의 범위에 포함함으로써 상속인이 없던 자에게 노년의 보살핌을 주려는 요양기관이나 개인이 증가할 것이라는 정책적인 고려가 있는 것입니다.

[관련 법령]

제1053조(상속인 없는 재산의 관리인)
상속인의 존부가 분명하지 아니한 때에는 법원은 제777조의 규정에 의한 피상속인의 친족 기타 이해관계인 또는 검사의 청구에 의하여 상속재산관리인을 선임하고 지체없이 이를 공고하여야 한다.
〈개정 1990. 1. 13.〉
제24조 내지 제26조의 규정은 전항의 재산관리인에 준용한다.

제1054조(재산목록제시와 상황보고)
관리인은 상속채권자나 유증받은 자의 청구가 있는 때에는 언제든지 상속재산의 목록을 제시하고 그 상황을 보고하여야 한다.

제1055조(상속인의 존재가 분명하여진 경우)
관리인의 임무는 그 상속인이 상속의 승인을 한 때에 종료한다.
전항의 경우에는 관리인은 지체없이 그 상속인에 대하여 관리의 계산을 하여야 한다.

제1056조(상속인 없는 재산의 청산)
제1053조 제1항의 공고있은 날로부터 3월 내에 상속인의 존부를 알 수 없는 때에는 관리인은 지체없이 일반상속채권자와 유증받은 자에 대하여 일정한 기간 내에 그 채권 또는 수증을 신고할 것을 공고하여야 한다. 그 기간은 2월 이상이어야 한다.
제88조 제2항, 제3항, 제89조, 제1033조 내지 제1039조의 규정은 전항의 경우에 준용한다.

제1057조(상속인수색의 공고)
제1056조 제1항의 기간이 경과하여도 상속인의 존부를 알 수 없는 때에는 법원은 관리인의 청구에 의하여 상속인이 있으면 일정한 기간 내에 그 권리를 주장할 것을 공고하여야 한다. 그 기간은 1년 이상이어야 한다.

제1057조의 2(특별연고자에 대한 분여)
제1057조의 기간 내에 상속권을 주장하는 자가 없는 때에는 가정법원은 피상속인과 생계를 같이하고 있던 자, 피상속인의 요양간호를 한 자 기타 피상속인과 특별한 연고가 있던 자의 청구에 의하여 상속재산의 전부 또는 일부를 분여할 수 있다
제1항의 청구는 제1057조의 기간의 만료후 2월 이내에 하여야 한다.

제1058조(상속재산의 국가귀속)
① 제1057조의 2의 규정에 의하여 분여(分與)되지 아니한 때에는 상속재산은 국가에 귀속한다. 제1055조 제2항의 규정은 제1항의 경우에 준용한다.

제1059조(국가귀속재산에 대한 변제청구의 금지)
전조 제1항의 경우에는 상속재산으로 변제를 받지 못한 상속채권자나 유증을 받은 자가 있는 때에도 국가에 대하여 그 변제를 청구하지 못한다.

나국제 씨는 배우자상속공제를 받고 싶다

나국제 씨는 일본 국적인 아버지가 돌아가시고, 아버지의 재산을 아직 협의분할하지 못한 상태입니다. 아버지가 돌아가시고 얼마 안 되어서는 아버지를 잃은 슬픔에 재산분할을 어찌해야 할지 몰랐습니다. 장례도 치르고 이전 남은 상속인들이 어떻게 해야 할까 고민을 시작하고 있습니다. 세무전문가에게 가서 문의해 본 결과 협의분할 형태에 따라 상속세가 많이 달라질 수 있다고 합니다. 나국제 씨는 한국에 남아 있는 어머니에게 최대한 많은 상속재산을 드리고 싶습니다.

나국제 씨는 배우자상속공제를 온전히 받을 수 있을까요?

한국에서의 상속세 신고에 있어서는 배우자 상속공제가 가장 세액에 영향을 많이 미치게 됩니다. 부부간의 재산이전에 대해서는 공동노력의 산물이기 때문에 거주자의 사망으로 인하여 그 배우자가 피상속인의 재산을 상속받는 경우에는 실제 상속받은 재산의 금액 중 일정금액을 상속세 과세가액에서 공제하도록 하고 있습니다. 따라서 이에 대한 정확한 검토 후의 협의분할이 중요합니다.

•••

일반적으로 세금은 민법적인 의사결정, 예를 들어 양도이냐, 증여이냐, 얼마에 매매하였느냐 등의 작업이 끝난 후에 이루어집니다. 따라서 이미 결정이 난 후에 세금을 줄일 수 있는 경우는 거의 없다고 보아야 할 것입니다. 협의분할의 경우는 상속개시 후에 결정할 수 있는 부분이라, 사후임에도 세액에 영향을 미치는 드문 경우라고 할 수 있습니다.

[법적 근거]

상속세 및 증여세법 제19조(배우자 상속공제)

① 거주자의 사망으로 상속이 개시되어 배우자가 실제 상속받은 금액의 경우 다음 각호의 금액 중 작은 금액을 한도로 상속세 과세가액에서 공제한다. 〈개정 2016. 12. 20.〉

1. 다음 계산식에 따라 계산한 한도금액

한도금액 = (A － B + C) × D － E

A: 대통령령으로 정하는 상속재산의 가액
B: 상속재산 중 상속인이 아닌 수유자가 유증등을 받은 재산의 가액
C: 제13조 제1항 제1호에 따른 재산가액
D: 「민법」 제1009조에 따른 배우자의 법정상속분(공동상속인 중 상속을 포기한 사람이 있는 경우에는 그 사람이 포기하지 아니한 경우의 배우자 법정상속분을 말한다)
E: 제13조에 따라 상속재산에 가산한 증여재산 중 배우자가 사전증여받은 재산에 대한 제55조 제1항에 따른 증여세 과세표준

2. 30억 원

한국 상속세 및 증여세법 제19조에 따르면 피상속인이 거주자인 경우 배우자 상속공제의 한도를 계산함에 있어서 적용하는 배우자의 법정상속비율을 민법 제1099조에 따른 배우자의 법정상속분으로 명문화하고 있어 한국 상속세 계산시 배우자 상속공제는 우리나라 민법 규정에 따른 법정비율에 따라 계산되어져야 할 것으로 판단됩니다.

국제사법에서 상속에 있어서의 법정상속비율은 각 나라마다 민법에 해당하는 법률이 다르기 때문에 우리나라와 일본의 경우 피상속인

의 국적에 따라 해당 나라의 민법을 적용하도록 되어 있습니다. 따라서 피상속인이 일본 국적인 위의 사례의 경우 민법상 적용되는 법정상속비율은 일본의 법정상속비율을 따르게 됩니다. 물론, 피상속인의 의지에 따라 달리 적용하는 경우도 있습니다.

피상속인의 국적에 따라 적용되는 민법이 달라지기 때문에 논리적으로는 이 경우 일본 법정상속비율에 따라 배우자 상속공제의 한도액이 적용되어져야 마땅할 것으로 보입니다. 그렇지만 한국 세법에서 한국 민법 제1099조에 따른 배우자의 법정상속비율로 명시되어 있기 때문에 조세 법률주의에 따라 세법상 적용은 한국 민법을 적용해야 할 것으로 보입니다.

피상속인이 거주자인 경우 한국 세법에 의해 배우자 상속공제를 적용할 수 있게 됩니다. 이 경우 피상속인의 국적이 일본인 경우 소송이나 협의분할로 일본 법정상속비율 등으로 재산을 협의분할한 경우 아쉽게도 일본 법정상속비율에 의한 한도로 배우자 상속공제를 적용할 수 없고 한국 민법에 의한 법정상속비율에 의한 한도로 배우자 상속공제가 적용되므로, 이것을 감안하여 배우자 지분을 정하는 것이 합리적이라고 판단됩니다.

일본에서는 배우자의 상속세가 거의 없다?

나처 씨는 갑자기 병원에서 연락을 받고 깜짝 놀랐습니다. 남편이 사업 확장을 위해 며칠씩 귀가도 못하고 출장 등으로 바빴는데, 병원에서 위급하다는 소식을 듣고 급하게 갔는데, 남편 얼굴을 본지 몇 시간 지나지 않아 남편이 사망했습니다. 남편은 과로사로 사망하게 된 것입니다. 장례를 치르고 슬픔이 가시기도 전에 사업의 정리와 유산분할 등으로 정신이 없어졌습니다. 협의분할 시에 배우자가 어느 정도 분할을 해야 하는 것인지 그리고 세금은 어떻게 되는지 궁금합니다.

이 경우 한국에서는 배우자공제라는 제도가 있는데, 일본에서도 배우자상속분에 대한 특례제도가 있을까요?

일본의 상속세에는 배우자의 세액경감이라는 제도가 있습니다. 피상속인인 배우자가 유산분할이나 유증을 받은 경우, 실제 취득한 유산액(재산가액에서 채무액을 공제한 가액)이 1억 6천만 엔 또는 배우자의 법정 상속분 상당액 중 많은 금액까지는 배우자에게 상속세가 발생하지 않는다는 것입니다(일 상속세법 제19조의 2). 이 규정은 상속에 의하여 재산을 취득한 자가 제한 납세 의무자인 경우라도 적용됩니다(일 상속세법 기본 통달 19의 2-1).

•••

이 제도의 대상이 되는 재산에는 위장 또는 은닉되어 있던 재산은 포함되지 않습니다.

또 이 배우자의 세액 경감은 배우자가 유산분할 등에서 실제로 취득한 재산을 기본으로 계산하게 되어 있기 때문에, 상속세의 신고 기한까지 분할되지 않은 재산은 세액 경감의 대상이 되지 않습니다. 다만, 상속세의 신고서에 "신고 기한 후 3년 이내의 분할 예정서"를 첨부한 뒤, 분할되지 않은 재산을 신고 기한으로부터 3년 이내에 분할한 경우에는 이 세액 감면 대상이 됩니다.

한국과 일본에서 납세의무가 있는 경우는 외국 납부 세액 공제에 의해서 이중 과세가 되지 않도록 조정되고 있습니다. 그러나 어느 한쪽의 나라에서 특례의 적용을 받지 못했을 때, 그 효과는 없어져 버릴 수 있습니다. 그렇게 되지 않기 위해서 양국의 적용 요건을 확인해 진행할 필요가 있습니다.

[법적 근거]

일본 상속세법 제19조의 2(배우자에 대한 상속세액 경감)

① 피상속인의 배우자가 해당 피상속인으로부터의 상속 또는 유증에 의해 재산을 취득했을 경우에는 해당 배우자에 대해서는 제1호에 제시하는 금액에서 제2호에 제시하는 금액을 공제한 잔액이 있을 때에는 해당 잔액을 납부해야 할 상속세액으로 하고, 제1호에 제시하는 금액이 제2호에 해당하는 금액 이하일 때에는 그 납부해야 할 상속세액은 없는 것으로 한다.

1. 해당 배우자에 대해 제15조부터 제17조까지 및 전조의 규정에 의하여 산출한 금액
2. 해당 상속 또는 유증으로 재산을 취득한 모든 자와 관련된 상속세의 총액에, 다음에 제시하는 금액 중 어느 한쪽 적은 금액이 해당 상속 또는 유증으로 재산을 취득한 모든 자와 관련된 상속세의 과세가격의 합계액 중 차지하는 비율을 곱해서 산출한 금액
   가. 해당 상속 또는 유증에 의하여 재산을 취득한 모든 사람에 관련된 상속세 과세가격의 합계액에 민법 제900조(법정 상속분)의 규정에 의한 해당 배우자의 상속분(상속의 포기가 있을 경우 그 포기가 없었던 것으로 한 경우의 상속분)을 곱해서 산출한 금액(해당 피상속인의 상속인(상속의 포기가 있을 경우 그 포기가 없었던 것으로 한 경우의 상속인)이 해당 배우자뿐인 경우에는 해당 합계액에 해당하는 금액(해당 금액

이 1억6천만 엔에 못 미친 경우에는 1억6천만 엔))

나. 당해 상속 또는 유증으로 재산을 취득한 배우자와 관련된 상속세의 과세가격에 상당하는 금액

② 전항의 상속 또는 유증과 관련된 제27조의 규정에 의한 신고서의 제출기한(이하 이 항에서 "신고기한"이라 한다)까지, 해당 상속 또는 유증에 의해 취득한 재산의 전부 또는 일부가 공동상속인 또는 포괄수유자에 의해 아직 분할되지 않은 경우의 전항의 규정 적용에 대해서는, 그 분할되지 않은 재산은 동항 제2호 나.의 과세가격 계산의 기초로 되는 재산에 포함되지 않는 것으로 한다. 다만, 그 분할되지 않은 재산이 신고 기한에서 3년 이내(해당 기간이 경과할 때까지 해당 재산이 분할되지 않은 것에 대해 해당 상속 또는 유증에 관한 소송의 제기, 그 외의 시행령으로 정하는 부득이 한 사정이 있는 경우로서 시행령으로 정하는 바에 의한 납세지 관할 세무서장의 승인을 받았을 때는 해당 재산의 분할이 가능하게 된 날로 시행령으로 정하는 날의 다음 날부터 4월 이내)에 분할된 경우에는 그 분할된 재산에 대해서는 그러하지 아니하다.

③ 제1항의 규정은 제27조의 규정에 의한 신고서(해당 신고서와 관련된 기한 후 신고서 및 이들 신고서와 관련된 수정 신고서를 포함한다. 제5항에서 같다) 또는 국세통칙법 제23조 제3항(경정의 청구)에 규정하는 경정청구서에 제1항의 규정을 받고자 함 및 동항 각호에 제시하는 금액의 계산에 관한 명세의 기재를 한 서류 기타 재무성령으로 정하는 서류의 첨부가 있는 경우에 한하여 적용한다.

④ 세무서장은 전항의 재무성령으로 정하는 서류의 첨부가 없는 동항의 신고서 또는 경정청구서의 제출이 있는 경우에도 그 첨부가 없었던 것에 대하여 부득이한 사정이 있다고 인정하는 때에는 해당 서류의 제출이 있는 경우에 한하여 제1항의 규정을 적용할 수 있다.

⑤ 제1항의 상속 또는 유증에 의하여 재산을 취득한 사람이 은폐 가장 행위에 근거하여 제27조의 규정에 의하여 신고서를 제출하고 있거나 이를 제출하고 있지 않았을 경우 해당 상속 또는 유증에 관한 상속세

에 대한 조사가 있음에 따라 해당 상속세에 대해서 경정 또는 결정이 있을 것을 예견하고 기한 후 신고서 또는 수정 신고서를 제출할 때는 해당 기한 후 신고서 또는 수정 신고서에 관련된 상속 세액에 관련된 동항의 규정 적용에 관해서는 동항 제2호 중 "상속세의 총액"은 "상속세의 총액에서 해당 상속에 관한 피상속인의 배우자가 제6항에 규정하는 은폐 가장 행위에 의한 사실에 근거한 금액에 상당하는 금액을 해당 재산을 취득한 모든 사람에 관련된 상속세 과세가격에 포함하지 않은 것으로 계산한 것"으로 "과세가격의 합계액 중" "과세가격의 합계액에서 해당하는 금액을 공제한 잔액 중"으로 동호 나 중 "과세가격의 합계액"은 "과세가격의 합계액에서 제6항에 규정하는 은폐 가장 행위에 의한 사실에 근거한 금액에 상당하는 금액(해당 배우자에 관련된 상속세 과세가격에 산입해야 하는 것에 한함)을 공제한 잔액"으로 동호 나 중 "과세가격"은 "과세가격에서 제6항에 규정하는 은폐 가장 행위에 의한 사실에 근거한 금액에 상당하는 금액(해당 배우자에 관련된 상속세 과세가격에 산입해야 하는 것에 한함)을 공제한 잔액"으로 한다.
⑥ 전항의 "은폐 가장 행위"란 상속 또는 유증에 의해 재산을 취득한 자가 행하는 행위로 해당 재산을 취득한 자와 관련된 상속세 과세가격 계산의 기초가 되어야 할 사실의 전부 또는 일부를 은폐하거나 가장하는 것을 말한다.

나국제 씨는 훌륭한 세무대리인을 찾고 싶다

나국제 씨는 일본 국적인 아버지가 돌아가시고, 아버지의 재산을 아직 협의분할하지 못한 상태입니다. 아버지가 돌아가시고 얼마 안 되어서는 아버지를 잃은 슬픔에 재산분할을 어찌해야 할지 몰랐습니다. 장례도 치르고 이전 남은 상속인들이 어떻게 해야 할까 고민을 시작하고 있습니다. 세무전문가에게 가서 문의해 본 결과 협의분할 형태에 따라 상속세가 많이 달라질 수 있다고 합니다.
나국제 씨는 한국에서 상속세에 대해 가장 유명한 세무사를 찾아갔습니다.

나국제 씨는 최선의 협의분할 방안을 찾을 수 있을까요?

국제 상속에 있어서는 하나의 나라에 대한 상속세 및 증여세의 지식만으로 훌륭한 절세방안 및 세무조사 대응이 불가능합니다. 왜냐하면 한 나라에서의 절세방안이 다른 나라에서는 과세가 되어 결과적으로 절세방안이 무용지물이 될 수 있기 때문입니다.

•••

한국에서는 한국 세법에 의하여 상속세를 납부하여야 하고, 일본에서는 일본 세법에 의하여 상속세를 납부하여야 합니다. 그런데 한국에서의 상속세 과세대상의 범위와 일본에서의 상속세 과세대상의 범위가 다른 경우가 많습니다. 과세여부가 다른 경우도 있고 비과세가 있는 것과 없는 것이 있으며, 상속세의 합산기간이 다른 경우도 있습니다. 세율을 적용하는 구조도 다르고, 경정청구기간마저 다르고, 공제를 받을 수 있는 요건도 다릅니다.

그러나 양국의 세법에 모두 정통한 세무사 또는 일본의 세리사는 거의 없습니다. 세무사라는 직업 및 자격도 나라마다 주어지는 부분이기 때문입니다. 그래서 양국의 세법을 어느 정도 알고 또한 양국의 세무전문가가 긴밀히 상호체크하며 상속세 및 기타 사항을 검토하여야 합니다. 이중과세 방지를 위한 조세조약도 상속세에 관한 부분은 아직 한국과 일본 사이에 체결된 바가 없습니다. 이중과세를 방지하기 위한 외국납부세액공제 역시 한계가 있습니다. 하나의 나라에서 납부한 상속세를 다른 나라에서 환급해 줄 수는 없는 부분이기 때문입니다.

따라서 국제화시대에 걸맞게 국제화된 지식과 커뮤니케이션으로 긴밀한 상호 체크를 통하여야만 양국 전체에 있어서의 합리적인 협의 분할안 내지 절세대책이 가능한 것입니다. 그리고 상속세가 신고납세세목인 일본과 상속세가 부과과세세목인 한국에서의 세무조사 대응 역시 일반적이지 않은 부분이 많습니다. 따라서 현재는 국제화된 세무전문가의 조력을 받아서 신고 및 납부를 진행하는 것이 선택이 아닌 필수인 상황이라고 판단됩니다.

PART III

국제 상속에 대한 신고할 때… 유의하자

1. 나국제 씨는 가산세 없이 신고를 할 수 있을까?
2. 어느 나라의 상속세가 더 많이 나올까?
3. 도대체 어느 나라 꺼야?
4. 도대체 재산이 얼마야?
5. 국제 상속은 환율도 중요하다
6. 뭐가 그리 중요해?
7. 사망보험금이 상속세 과세대상이 아니라고?
8. 한국 상속재산에서 비과세되는 보험금?
9. 일본에만 했던 상속세 신고 과연?
10. 김타쿠상은 일본에 주소가 있는데 한국에서도 거주자인가요?

나국제 씨는 가산세 없이 신고를 할 수 있을까?

나국제 씨는 한국 국적이나 일본에 주소를 두고 있는 일본 거주자입니다. 최근 아버님이 고국인 한국에 여행을 오셨다가 사고로 한국에서 사망하셨습니다. 아버님은 한국에 일부 재산이 있고, 일본에 상당한 재산이 있습니다. 일본 세리사에게 문의해 보니 일본에서는 사망 후 10개월 이내에 상속세 신고를 하면 된다고 합니다. 그래서 아버님이 유언을 남겨두시지 않았기 때문에 협의분할을 하려고 상속인들이 모여서 협의분할을 진행 중입니다. 그런데 동생이 한국에 거주하고 있어서 좀처럼 모이기도 힘들고, 협의분할에 협의가 잘 되지 않아 7개월 정도 지나버렸습니다. 한국에서도 상속세 신고를 하여야 하고, 일본에서도 상속세 신고를 해야 합니다.

나국제 씨는 한국과 일본에서 가산세를 내지 않고 기한 내 신고를 잘 할 수 있을까요?

피상속인이 비거주자인 경우 한국에서는 제한납세의무자로서 한국에 있는 재산만 신고하면 됩니다. 물론, 일본에서는 상속인이 일본 거주자인 경우 무제한 납세의무자로 한국의 상속재산과 일본의 상속재산 전부에 대하여 상속세 신고를 하여야 합니다. 여기서 양국의 상속세 신고기한이 다르게 규정되어 있으므로 유의하지 않으면 가산세를 부담하게 됩니다.
뿐만 아니라 한국은 부과과세세목으로 신고세액공제도 있어서 가산세와 신고세액공제부적용의 이중 불이익을 받게 되므로 더욱 주의가 필요합니다.

•••

[법적 근거]

상속세 및 증여세법 제67조(상속세 과세표준 신고)
① 제3조의 2에 따라 상속세 납부의무가 있는 상속인 또는 수유자는 상속개시일이 속하는 달의 말일부터 6개월 이내에 제13조와 제25조 제1항에 따른 상속세의 과세가액 및 과세표준을 대통령령으로 정하는 바에 따라 납세지 관할 세무서장에게 신고하여야 한다.
〈개정 2015. 12. 15.〉
④ 피상속인이나 상속인이 외국에 주소를 둔 경우에는 제1항의 기간을 9개월로 한다.

67-0…1(상속인이 외국에 주소를 둔 경우) 법 제67조 제4항의 규정에서 "상속인이 외국에 주소를 둔 경우"라 함은 상속인 전원이 외국에 주소를 둔 경우를 말한다. 〈개정 1998. 2. 25.〉

국세기본법 제47조의 2(무신고가산세)

① 납세의무자가 법정신고기한까지 세법에 따른 국세의 과세표준 신고(예정신고 및 중간신고를 포함하며, 「교육세법」 제9조에 따른 신고 중 금융 · 보험업자가 아닌 자의 신고와 「농어촌특별세법」 및 「종합부동산세법」에 따른 신고는 제외한다)를 하지 아니한 경우에는 그 신고로 납부하여야 할 세액(이 법 및 세법에 따른 가산세와 세법에 따라 가산하여 납부하여야 할 이자 상당 가산액이 있는 경우 그 금액은 제외하며, 이하 "무신고납부세액"이라 한다)에 다음 각호의 구분에 따른 비율을 곱한 금액을 가산세로 한다. 〈개정 2016. 12. 20.〉

1. 부정행위로 법정신고기한까지 세법에 따른 국세의 과세표준 신고를 하지 아니한 경우: 100분의 40(국제거래에서 발생한 부정행위인 경우에는 100분의 60)
2. 제1호 외의 경우: 100분의 20

일본 거주자인 김타쿠상이 한국과 일본의 상속재산을 파악하고 협의분할을 하고 한국과 일본의 상속세 신고를 하려면 절대 시간이 많지 않습니다. 게다가 한국에서 신고한 신고서를 토대로 일본에서 외국납부세액공제를 받아야 하기 때문에 그 역시 시간 내에 하기가 어려워 양국에서 동시 진행해야 합니다. 부과과세세목인 상속세는 한국에서 조사 및 결정이 이루어져야 비로소 세액이 확정됩니다. 실무상 일본에서의 신고납부기한까지 확정이 어렵다고 보여지므로, 결정내역에 따라 추가적인 수정신고나 경정청구가 필요하다고 보여집니다.

김타쿠상은 결과적으로 한국에서 신고세액공제도 못받고 무신고 가산세까지 부담하고 그리고 일본에서 외국납부세액공제에서는 가산세는 배제되는 결과까지 3중 불이익이 발생합니다. 따라서 처음부터 빠른 대응과 양국의 전문가와 함께 철저한 준비와 검토로 신고 기한의 이익을 상실하는 일이 발생하지 않도록 유의해야 합니다.

어느 나라의 상속세가 더 많이 나올까?

나국제 씨는 최근에 아버님이 돌아가셨습니다. 아버지는 일본에서 오래 사셨고, 돌아가시기 전 5년 넘게는 한국에서 거주하셨습니다.
아버지는 한국과 일본 양쪽에 재산을 남기셨습니다.

나국제 씨는 양국에 상속세를 납부하여야 한다는 말을 들었습니다.
양쪽 국가에 재산은 비슷하게 있습니다.
양쪽에 있는 재산에 대한 상속세를 양국에 내야 한다고 하는데, 한국에서 상속세가 더 많이 나온다는 말을 들었는데 맞는지 궁금합니다.

맞는 말인가요?

한국에서의 상속세가 대부분 일본에서의 상속세보다 많이 나옵니다.
한국은 유산과세방식이고, 일본은 유산취득과세방식에 가까운 과세방식이기 때문입니다.

•••

기본적으로 한국은 피상속인의 상속재산 전체에 대하여 누진세율을 적용하여 과세하는 방식인데, 일본의 상속세는 피상속인의 전체 재산을 법정상속비율에 따라 나눈 후에 그 나누어진 각각의 상속재산에 누진세율을 적용하여 전체 세액을 산출 후 각각의 실제 상속재산에 근거하여 나누는 방식이기 때문입니다.

그렇기 때문에 대부분 일본에서의 상속세 납부세액을 신고 납부하고 난 후에 그 금액을 한국 상속세에서 외국납부세액공제로 차감하고 신고 납부하는 흐름이 됩니다.

물론 상속세율이나 배우자상속공제나 배우자경감 등의 내용으로 양국 간 차이가 발생할 수는 있으나, 큰 흐름의 누진세율 적용 대상이 달라지는 부분에서 세액이 차이날 수 밖에 없습니다.

[법적 근거]

일본 상속세법 제11조(상속세 과세)

상속세는 이 절 및 제3절에 정하는 바에 따라 상속 또는 유증에 의해 재산을 취득한 자의 피상속인으로부터 재산을 취득한 모든 자와 관련된 상속세의 총액(이하 이 절 및 제3절에 있어서 "상속세의 총액"이라 한다)을 계산하고, 해당 상속세의 총액을 기초로 하여 각각 이들 사유로 인해 재산을 취득한 자와 관련된 상속세액으로서 계산한 금액에 따라 부과한다.

일본 상속세법 제15조 제1항(유산과 관련된 기초공제)

상속세의 총액을 계산하는 경우에는 동일한 피상속인으로부터 상속 또는 유증에 의해 재산을 취득한 모든 자와 관련된 상속세의 과세가격(제19조 규정의 적용이 있는 경우에는 동조의 규정에 의해 상속세의 과세가격으로 간주된 금액. 다음 조부터 제18조까지 및 제19조의 2에서 동일)의 합계액에서, 3천만 엔과 6백만 엔에 해당 피상속인의 상속인의 수를 곱해서 산출한 금액과의 합계액(이하 "유산과 관련된 기초공제액"이라 한다)을 공제한다.

일본 상속세법 제16조(상속세 총액)

상속세의 총액은 동일한 피상속인으로부터 상속 또는 유증에 의하여 재산을 취득한 모든 사람에 관련된 상속세 과세가격에 상당하는 금액의 합계액에서 그 유산에 관한 기초 공제액을 공제한 잔액을 해당 피상속인의 전조 제2항에 규정하는 상속인의 수에 따른 상속인이 민법 제900조(법정 상속분) 및 제901조(대습 상속인의 상속분)의 규정에 의한 상속분에 따라서 취득한 것으로 한 경우의 그 각 취득 금액(해당 상속인이 혼자인 경우 또는 없는 경우에는 해당 공제한 잔액)을 각각 그 금액을 다음 표에 해당하는 금액으로 구분해서 각각의 금액에 이 표의 해당하는 세율을 곱해서 계산한 금액을 합한 금액으로 한다.
천만 엔 이하의 금액 100분의 10

천만 엔 초과 3천만 엔 이하의 금액 100분의 15
3천만 엔 초과 5천만 엔 이하의 금액 100분의 20
5천만 엔 초과 1억 엔 이하의 금액 100분의 30
1억 엔 초과 2억 엔 이하의 금액 100분의 40
2억 엔 초과 3억 엔 이하의 금액 100분의 45
3억 엔 초과 6억 엔 이하의 금액 100분의 50
6억 엔 초과 금액 100분의 55

일본 상속세법 제17조(각 상속인등의 상속세액)
상속 또는 유증으로 재산을 취득한 자와 관련된 상속세액은 그 피상속인으로부터 상속 또는 유증에 의해 재산을 취득한 모든 자와 관련된 상속세의 총액에 각각 이러한 사유로 인해 재산을 취득한 자와 관련된 상속세의 과세가격이 해당 재산을 취득한 모든 자와 관련된 과세가격의 합계액 중 차지하는 비율을 곱해서 산출한 금액으로 한다.

도대체 어느 나라 꺼야?

나조부 씨는 한국에 거주하고 있는 한국인입니다. 나조부 씨는 원래는 발명가로서 여러 가지 특허를 발명하였습니다. 그 후 특허를 한국과 일본에서 등록하였고, 일본에서 나조부 씨의 특허를 사용하겠다는 회사로부터 매년 특허료를 받고 있었습니다. 나조부 씨에게는 일찍이 배우자가 사망하였고, 나부라는 아들 1명이 있었는데 얼마 전 나조부 씨마저 사망하였습니다.

평소에 나조부 씨의 특허를 관리하였던 나부 씨는 아버지가 돌아가시고 남긴 여러 가지 재산들을 보며 매우 혼동을 겪게 됩니다. 아버님이 일본과 한국에 여러 가지 재산을 가지고 있었고, 특히 무형자산이라고 할 수 있는 특허권 및 특허에 관련된 저작권 등이 일부 있었고, 이를 일본에서 사용하는 사용자도 있었습니다.

나부 씨는 전문가를 찾아가 이를 확인하던 중 도대체 이 상속재산들을 어떻게 신고해야 되는지 혼란스러워하고 있습니다. 그중 특허권 및 저작권 사용료 등 중에서 못 받은 금액들도 있는데, 이것도 상속세 신고를 해야 하는지도 궁금해하고 있습니다. 과연, 이 금액들도 신고를 해야 될까요?

사람이 사망을 하게 되면 상속이 개시됩니다. 이때 고인이 남기게 된 재산을 확인하고 신고 및 명의변경 등의 다양한 절차가 일어나게 됩니다. 이때 다양한 국가에 걸쳐서 재산이 있는 경우 이 재산에 대해서는 소재지를 판정하는 절차가 필요하게 됩니다.

•••

위의 사례 나조부 씨의 경우에는 못 받은 특허권 및 저작권 사용료의 금액까지도 신고를 하는 것이 맞습니다. 상속세의 과세대상자산은 거주자이냐 비거주자이냐에 따라서 달라지게 되는데, 이는 피상속인의 주소가 어디에 있는지 등 다양한 제반사정에 따라 달라지게 되며, 양국 간의 동일상속재산에 대하여 자국의 소재지에 있는 재산으로 판정하게 되면 상속세의 이중과세가 발생하게 됩니다. 그런 이유들로 인해 상속대상자산이 어디의 국가에 소재하고 있는지 등의 판정기준 등이 매우 중요하게 됩니다.

상속세 신고를 할 때에는 각 상속재산의 종류별로 소재지를 판정하는 기준이 다릅니다. 그중에서도 대표적으로 부동산의 경우에는 재산의 소재지에 의해서 판정을 하게 되며, 금융재산, 보험금, 퇴직금 등,

금전채무, 주식 등에 대해서는 채무자의 소재지에 의해서 판정하게 됩니다.

위의 사례를 보았을 때 나조부 씨의 특허권 및 저작권은 채무자의 소재지에 의해서 판정하게 되며, 채무자는 일본에 있는 회사이기 때문에 상속재산 소재지는 일본이 되게 됩니다. 그렇기 때문에 나조부 씨가 일본의 비거주자라고 하여도 한국에서 상속세 과세대상자산이 되며, 일본에서도 과세대상자산에 해당되어 이중과세가 발생하게 됩니다. 이처럼 국제 상속에 있어서 상속인의 거주지국과 관계없이 피상속인의 상속재산의 소재지국의 판정에 의해서 상속세액의 계산·신고를 하기 때문에 중요한 요소가 된다고 볼 수 있습니다.

잘 생각해보면 이는 중요한 절세 포인트가 된다고 볼 수도 있습니다. 상속세 같은 경우는 각 국가별로 조금씩 다른 유형의 과세제도를 채택하고 있습니다. 그러므로, 상속재산의 판정기준 및 과세여부 등을 판단하여 적절히 사전준비를 한다면 중요한 절세 포인트가 될 수도 있기 때문에, 사전에 전문가와 상의를 하여 현명하게 대응하는 것이 중요합니다.

상속재산에서 제외되는 재산

다음의 재산들은 상속재산에서 제외되는 재산들로, 상속세 신고를 할 경우 영향력을 미치지 않게 되는 항목들입니다.

1. 질권, 저당권, 지역권 등 종된 권리
2. 인정상여 등 실질적인 재산이 없는 경우
3. 주주총회에서 잉여금처분결의 전 사망한 경우 배당금 및 상여금
4. 위자료 성격의 보상금

[법적 근거]

상속세 및 증여세법 제5조(상속재산 등의 소재지)

① 상속재산과 증여재산의 소재지는 다음 각호의 구분에 따라 정하는 장소로 한다.

1. 부동산 또는 부동산에 관한 권리: 그 부동산의 소재지
2. 광업권 또는 조광권(租鑛權): 광구(鑛區)의 소재지
3. 어업권, 양식업권 또는 입어권(入漁權): 어장에서 가장 가까운 연안
4. 선박: 선적(船籍)의 소재지
5. 항공기: 항공기 정치장(定置場)의 소재지
6. 주식 또는 출자지분(이하 이 조, 제22조, 제39조, 제39조의 2, 제39조의 3, 제41조의 2, 제41조의 3, 제41조의 5 및 제63조에서 "주식등"이라 한다) 또는 사채(社債): 그 주식등 또는 사채를 발행한 법인 또는 그 출자가 되어 있는 법인의 본점 또는 주된 사무소의 소재지. 다만, 외국법인이 국내법에 따라 국내에서 발행한 주식 등 또는 사채에 대해서는 그 거래를 취급하는 「금융실명거래 및 비밀보장에 관한 법률」 제2조 제1호에 따른 금융회사등(이하 "금융회사등"이라 한다) 영업장의 소재지

7. 「자본시장과 금융투자업에 관한 법률」을 적용받는 신탁업을 경영하는 자가 취급하는 금전신탁: 그 신탁 재산을 인수한 영업장의 소재지. 다만, 금전신탁 외의 신탁재산에 대해서는 신탁한 재산의 소재지
8. 제6호 및 제7호 외의 대통령령으로 정하는 금융재산: 그 재산을 취급하는 금융회사등 영업장의 소재지
9. 금전채권: 채무자의 주소지. 다만, 제6호부터 제8호까지의 규정에 해당하는 경우는 제외한다.
10. 제2호부터 제9호까지에 해당하지 아니하는 그 밖의 유형재산(有形財産) 또는 동산(動産): 그 유형재산의 소재지 또는 동산이 현재 있는 장소
11. 특허권 · 상표권 등 등록이 필요한 권리: 그 권리를 등록한 기관의 소재지
12. 저작권(출판권과 저작인접권을 포함한다): 저작권의 목적물인 저작물이 발행되었을 경우 그 발행 장소
13. 제1호부터 제12호까지에 규정된 재산을 제외한 그 밖의 영업장을 가진 자의 그 영업에 관한 권리: 그 영업장의 소재지

② 제1항 각호에 규정되지 아니한 재산의 소재지는 그 재산의 권리자의 주소로 한다.

③ 제1항과 제2항에 따른 재산의 소재지의 판정은 상속개시 또는 증여당시의 현황에 따른다.

도대체 재산이 얼마야?

나조부 씨는 일본 국적의 일본사람입니다. 하지만 나조부 씨는 한국인 배우자와 결혼을 하여 말년에 한국에서 거주를 하다가 지병으로 병 치료를 받다가 사망하였습니다.

나조부 씨는 일본과 한국에서 사업을 하고 있었는데 재산도 꽤 많아서 많은 재산을 형성한 상태입니다. 하지만, 대부분의 재산은 일본에 있습니다. 가족은 한국인 배우자와 자식 2명이 있는 상태입니다. 나조부 씨의 배우자는 남편이 한국에서도 사업을 했었기 때문에 한국에서 상속세 신고를 하고 세금을 납부해야 된다고 생각이 들었습니다. 그래서 주변의 세무사를 찾아가서 상담을 받았습니다.

하지만, 나조부 씨의 대부분의 재산은 일본에 있는데 한국에서 상속세 신고할 때 일본의 재산을 한국의 법 기준에 맞게 평가해야 되는 문제가 있다고 들었습니다.

과연, 상속세 신고를 할 때 해외 재산에 대해서도 한국의 기준에 맞게 평가를 하는 것이 맞는 것일까요?

사람이 사망을 하게 되면 그 사람의 재산을 파악한 후 상속세 신고 등의 절차가 필요하게 됩니다. 특히 재산이 많은 사람들의 경우 상속세 신고가 큰 화두로 떠오르게 됩니다. 이때 하나의 국가 이외에 다른 국가에도 재산이 있거나 사업을 하였다던지 연고가 있는 경우에는 국제적인 상속이라고 볼 수 있는데, 조금 더 복잡한 절차가 필요하게 됩니다.

나조부 씨의 경우는 한국에서도 상속세를 신고할 것이고, 이때 한국의 세법 기준에 따라서 재산을 평가하는 것이 맞습니다. 나조부 씨는 국외에 있는 재산에 대하여 한국 세법의 평가가 부적당하다는 것을 입증함이 없었기 때문입니다. 나조부 씨의 경우에는 일본에 대부분의 재산이 있다고 하였는데, 일본에 있는 재산을 한국에서 상속세 신고를 할 때 한국의 세법 기준에 맞게 그 재산가액을 다시 평가하는 절차가 필요하게 됩니다. 그래서 똑같은 재산이라고 하여도 일본에서 상속세 신고시 평가한 상속재산가액과 한국에서 상속세 신고를 할 때의 상속재산평가가액이 달라질 수 있습니다.

한국의 상속세법에 의하면, 상속재산의 가액은 상속개시일(평가기준일) 현재의 시가 평가하는 것을 원칙으로 하고 있습니다. 이때 시가란 불특정 다수인 사이에 자유롭게 거래가 이루어지는 경우에 통상적으로 성립된다고 인정되는 가액으로 수용가격·공매가격 및 감정가격 등 대통령령으로 정하는 바에 따라 시가로 인정되는 것을 포함한다라고 되어 있습니다. 그리고 시가를 산정하기 어려운 경우에는 해당 재산의 종류, 규모, 거래, 상황 등을 고려하여 보충적평가방법으로 평가한 가액을 시가로 봅니다.

이와 같은 한국의 규정으로 보면 한국의 보충적평가방법으로 평가하는 것이 부적당한 경우에는 당해 재산이 소재하는 국가에서 과세목적으로 평가한 가액을 평가액으로 한다라고 되어 있습니다. 이때, 한국의 상속세 및 증여세법에 의해 평가하는 것이 부적당하다는 것을 납세자가 입증하지 않으면 한국의 상속세 및 증여세법에 의해 평가를 하게 됩니다.

한국과 일본의 경우뿐만 아니라, 다른 나라도 비슷한 논리로 접근을 하게 될 것입니다. 국외재산의 평가를 할 때에는 원칙적으로 한국 상속세 신고시 한국의 상속 및 증여세법에 의해서 평가하게 될 것입니다. 그렇기 때문에 외국의 상속재산의 평가방법과 차이가 발생하게 됩니다. 이때 중요한 것은 국외상속재산의 평가액과 한국의 상속세 및 증여세법에 의한 평가액과 비교를 통해서 절세를 할 여지가 있을 수 있기 때문에 사전에 전문가와 함께 충분히 검토하는 것이 필요합니다.

국외재산을 평가하는 경우의 환산방법

국외재산을 평가하는 경우에는 환율에 따라서 많은 금액이 변동될 수 있습니다. 국외재산의 가액은 평가기준일 현재의 외국환거래법에 의해 기준환율 또는 재정환율에 의해 환산한 가액을 기준으로 평가를 합니다.

[관련 법령]

상속세 및 증여세법 시행령 제58조의 3(국외재산에 대한 평가)

외국에 있는 상속 또는 증여재산으로서 법 제60조 내지 법 제65조의 규정을 적용하는 것이 부적당한 경우에는 당해 재산이 소재하는 국가에서 양도소득세·상속세 또는 증여세 등의 부과목적으로 평가한 가액을 평가액으로 한다.

제1항의 규정에 의한 평가액이 없는 경우에는 세무서장 등이 2 이상의 국내 또는 외국의 감정기관에 의뢰하여 감정한 가액을 참작하여 평가한 가액에 의한다.

국제 상속은 환율도 중요하다

나국제 씨는 몇 년 전 재일동포인 아버지 나조부님이 한국에서 돌아가셨습니다. 최근에 아버지께서 일본에 10억 엔 상당의 재산을 남겨두었다는 것을 알게 되었습니다.

나조부님은 돌아가시기 몇 년 전부터 한국에서 생활하시다가 돌아가셨으므로, 한국의 거주자에 해당하여 한국에서 상속세 신고를 해야 한다는 것을 알게 되었습니다.

상속세 신고를 한국의 세무사에게 의뢰하여 신고 및 납부를 준비하던 중에 지금 납부시점의 환율이 아닌 몇 년 전 상속개시시점의 환율을 적용하여야 한다는 말을 들었습니다.

문제는 지금 시점의 환율은 100엔당 1,100원이지만, 돌아가실 때의 환율은 1,200원이라서 일본의 재산을 지금 시점의 환율로 환전하여 납부한다면 많은 손해를 감수해야 한다는 것입니다.

나국제 씨는 상속개시 당시 환율로 신고 및 납부를 하여야 할까요?

한국 세법상 국외 상속재산의 평가는 상속개시 당시의 환율로 환산한 가액을 기준으로 평가하여 상속세를 신고 · 납부하여야 합니다.

•••

여기서 환율의 적용은 기준환율 또는 재정환율에 따라 환산한 가액을 기준으로 평가하도록 규정하고 있습니다.

기준환율이란 원화와 미국 달러화 간의 매매환율을 말하며, 재정환율이란 원화와 미 달러화 이외의 외국통화 간의 환율을 말하는 것으로 서울외국환중개소(www.smbs.biz)의 환율을 적용합니다.

[법적 근거]

상속세 및 증여세법 시행령 제58조의 4(외화자산 및 부채의 평가)
외화자산 및 부채는 평가기준일 현재 「외국환거래법」 제5조 제1항에 따른 기준환율 또는 재정환율에 따라 환산한 가액을 기준으로 평가한다. 〈신설 2012. 2. 2.〉

나국제 씨의 경우는 상속세 신고의 상속재산은 10억 엔을 상속개시 당시 환율인 1, 200원/100엔으로 평가하면 120억 원의 상속재산으로 평가되어서 이에 대한 상속세 납부를 하여야 합니다.

지금 현재의 환율인 1,100원/100엔으로 계산하면 110억 원의 상속재산으로 평가되어서 실질적으로는 110억 원의 재산을 상속으로 취득하여 120억 원에 해당하는 상속세를 내는 결과가 나와서 억울한 측면이 없지 않으나, 반대의 경우도 발생할 수 있으므로 언제나 납세자에게 불리한 결과를 가져오지는 않습니다.

이렇듯 국제 상속의 경우에는 재산가액이 크면 클수록 환율이 세금에 미치는 영향이 크게 되므로 유의하여야 합니다.

뭐가 그리 중요해?

나부 씨에게는 나조부라는 일본 국적의 아버지가 있었지만 2017년 사망하였습니다. 나조부 씨는 오래전 일본에서 결혼을 하여 일본인 배우자와 자식이 있었지만 일본인 배우자는 이미 사망하였고, 그 후 한국으로 넘어와 한국인 배우자와 재혼을 하고 자식을 낳았습니다. 일본에서 사업을 하고 있었던 나조부 씨는 80대로 접어들면서 큰 병에 걸리게 되었습니다. 평소에 한국과 일본을 오가면서 사업을 하던 나조부 씨는 사망하기 3년 전부터 한국에서 거주를 하며 병치료를 받다가 사망하였습니다.

나조부 씨는 많은 재산을 형성한 상태입니다. 하지만, 대부분의 재산은 일본에 있습니다. 그런데 갑자기 나부 씨에게 일본에서 서류 한 장이 왔습니다. 상속재산협의서였는데 나조부 씨에 대한 일본에서의 상속세 신고는 이미 완료되었고 한국에 있는 재산은 한국의 상속인들이, 일본에 있는 재산은 일본의 상속인들이 가지겠다는 내용이었습니다. 말도 안된다고 생각한 나부 씨는 당장 전문가를 찾아갔습니다.

전문가를 찾아가 상담을 하던 중 나조부 씨의 경우 한국의 세법상 거주자에 해당하기 때문에 재산이 대부분 일본에 있어도 한국에서도 상속세 신고를 해야 한다는 소리를 들었습니다. 그리고 나부 씨는 한국에서의 상속세 신고를 위해서 상속세신고서를 보내달라고 일본의 상속인들에게 요청하였는데, 상속세신고서는 오지 않은 상황입니다.

과연, 어떤 문제가 있는 것일까요?

상속세 신고를 하게 되면 다양한 것들을 검토하게 됩니다. 특히, 재산이 많은 사람들의 경우 검토할 것이 더욱 많아지게 됩니다. 상속세 신고를 할 때에는 다양한 변수를 만나게 됩니다.

나조부 씨의 경우는 세법상 거주자에 해당("거주자" 부분 참조)하기 때문에 한국에서도 상속세를 신고하는 것이 맞습니다. 이때 중요한 것이 상속재산에 대한 파악입니다. 한국의 상속세는 정부부과세목으로 납세자가 신고하는 것은 협력의무에 불과하고, 과세관청에서 조사를 통하여 정확한 금액을 결정하게 됩니다. 나조부 씨의 경우 일본에서 상속세 신고를 하였고, 이 신고서를 요청하였지만 입수가 쉽지 않은 상황입니다. 이때 한국에서의 상속세신고서 작성을 위해서는 재산을 추정할 수 밖에 없습니다. 이때 발생하게 되는 문제점은 한국의 상속인들에게 직접적으로 오게 됩니다. 한국의 상속세신고서를 추정해서 신고를 한 후 과세관청의 조사를 통해 상속인의 상속재산이 확인될 때에 신고서에 기재한 금액보다 더 많은 것이 일반적인데, 이 경우 불필요한 가산세(납부불성실가산세 등)를 부담하게 됩니다. 이 가산세가 무시무시한 금액으로 다가올 수가 있을 것입니다. 그리고 한국의 상속인들은 일본의 상속인들이 부담할 세금까지 자신이 받은 상속재산에서 납부(연대납세의무)해야 할 경우까지 발생하게 됩니다.

거주자, 비거주자란?

거주자 · 비거주자는 세법상의 개념으로, 세금신고목적으로 사용되는 개념입니다. "거주자"란 국내에 주소를 두거나 183일 이상 거소(居所)를 둔 사람을 말하며, "비거주자"란 거주자가 아닌 사람을 말합니다. 거주자의 경우 국내의 재산을 포함하여 전 세계에 있는 모든 재산에 대하여 신고의무를 가지게 됩니다. 반대로 비거주자의 경우에는 국내에 있는 재산에 한해서 신고의무를 가지게 됩니다.

이처럼 상속재산을 파악하는 것은 생각보다 매우 중요합니다. 상속재산 파악에 따라서 정확한 신고가 가능하냐 불가능하냐로 이어지고, 그 신고에 따라서 가산세부담 등 향후 일어나는 법적분쟁에서도 불리할 수 있습니다.

그리고 양국 간에 걸쳐진 국제 상속에 있어서 중요한 쟁점 중의 하나는 정확한 과세재산을 파악하는 것입니다. 상속재산을 파악한 후에는 이것이 한국에서 과세가 되는 대상인지를 파악하는 것도 매우 중요합니다. 아무리 상속재산이 많다고 하여도 한국에서 과세가 되지 않는다면 상속세는 발생하지 않을 것입니다. 이처럼 상속재산의 파악은 상속세의 시작점을 끊는 것이라 해도 과언이 아닙니다. 정확한 상속재산의 파악은 상속세 신고를 마무리하는데 있어서 다시 한번 강조하더라도 지나치지 않는 존재라고 할 수 있습니다.

이중과세란?

이중과세란 조세 주체 및 객체에 대하여 이중으로 과세하는 것으로, 그 성질에 따라 인적 이중과세와 물적 이중과세로 나눌 수 있습니다. 인적 이중과세는 소득발생지와 소득귀속자의 국적이 다른 경우 소득발생지와 소득귀속자의 국내 조세체계가 달라 동일한 원천으로부터의 소득에 대해 양국에서 중복적으로 과세하는 경우를 말합니다.

납부불성실가산세란?

납세의무자가 세법에 따른 납부기한까지 국세의 납부를 하지 아니하거나 납부하여야 할 세액보다 적게 납부(과소납부)하거나 환급받아야 할 세액보다 많이 환급(초과환급)받은 경우에는 납부불성실가산세를 부과합니다.

[법적 근거] 신고부과세목과 정부부과세목

국세기본법 제22조(납세의무의 확정)

① 국세는 이 법 및 세법이 정하는 절차에 따라 그 세액이 확정된다.

② 다음 각호의 국세는 납세의무자가 과세표준과 세액을 정부에 신고했을 때에 확정된다. 다만, 납세의무자가 과세표준과 세액의 신고를 하지 아니하거나 신고한 과세표준과 세액이 세법이 정하는 바에 맞지 아니한 경우에는 정부가 과세표준과 세액을 결정하거나 경정하는 때에 그 결정 또는 경정에 따라 확정된다.

1. 소득세
2. 법인세
3. 부가가치세
4. 개별소비세
5. 주세
6. 증권거래세
7. 교육세
8. 교통 · 에너지 · 환경세
9. 종합부동산세(납세의무자가 「종합부동산세법」 제16조 제3항에 따라 과세표준과 세액을 정부에 신고하는 경우에 한정한다)

③ 제2항 각호 외의 국세는 해당 국세의 과세표준과 세액을 정부가 결정하는 때에 확정된다.

④ 다음 각호의 국세는 제1항부터 제3항까지의 규정에도 불구하고 납세의무가 성립하는 때에 특별한 절차 없이 그 세액이 확정된다.

1. 인지세
2. 원천징수하는 소득세 또는 법인세
3. 납세조합이 징수하는 소득세
4. 중간예납하는 법인세(세법에 따라 정부가 조사 · 결정하는 경우는 제외한다)

사망보험금이 상속세 과세대상이 아니라고?

나처 씨는 나국제 씨가 사망하고 사망 보험금 3,000만 엔을 받았습니다. 이 사망보험금은 계약자 및 피보험자가 나국제 씨이고, 보험금 수취인은 나처 씨입니다. 부부에게는 두 아이가 있습니다. 이 경우 일본의 상속세법에서는 사망보험금을 받았을 때에 상속세의 과세 대상이 되지 않는다고 들었습니다.

일본에서는 사망보험금이 과세가 안 된다는데, 사실일까요?

보험료 부담자인 남편이 돌아가셨을 때 그 사망보험금은 상속세 과세 대상이며, 당신이 받은 사망보험금 3,000만 엔은 간주 상속 재산으로서 유산 총액에 포함됩니다. 다만, 이 사망보험금 수취인이 상속인(상속을 포기한 사람과 상속권을 잃은 사람은 포함되지 않습니다.)인 경우 모든 상속인이 받은 보험금의 합계액이 다음의 계산식에 의해서 계산한 비과세 한도를 넘을 때, 그 넘는 부분이 상속세 과세 대상이 됩니다(상속세법 제12조 제5항).

•••

500만 엔 × 법정 상속인의 수 = 비과세 한도

이때 법정 상속인의 수는 상속의 포기를 한 사람이 있는 경우라도 그 포기가 없었던 것으로 가정했을 경우의 상속인 수를 말합니다.

상속인 이외의 사람이 취득한 사망보험금에는 비과세 적용이 되지 않습니다. 위 경우에서는 받은 사망보험금에서 1,500만 엔을 비과세로 공제할 수 있게 됩니다.

[법적 근거]

일본 상속세법 제3조 제1항
(상속 또는 유증으로 취득한 것으로 보는 경우)

다음 각호 중 하나에 해당하는 경우에 있어서는 해당 각호에 열거하는 자가 해당 각호에 열거하는 재산을 상속 또는 유증에 의해 취득한 것으로 간주한다. 이 경우 그 자가 상속인(상속을 포기한 자 및 상속권을 잃은 자를 포함하지 않는다. 제15조, 제16조, 제19조의 2 제1항, 제19조의 3 제1항, 제19조의 4 제1항 및 제63조의 경우 및 "제15조 제2항에 규정하는 상속인의 수"라는 경우를 제외하고, 이하 같다)일 때에는 당해 재산을 상속으로 취득한 것으로 간주하며, 그 자가 상속인 이외의 자일 때에는 당해 재산을 유증에 의해 취득한 것으로 간주한다.
1. 피상속인의 사망으로 인해 상속인 기타 자가 생명보험 계약(보험업법(1995년 법률 제105호) 제2조 제3항(정의)에 규정하는 생명보험회사와 체결한 보험계약(이에 비슷한 공제와 관련된 계약을 포함한다. 이하 같다. 기타 시행령으로 정하는 계약을 말한다. 이하 같다))의 보험금(공제금을 포함한다. 이하 같다) 또는 손해보험 계약(동조 제4항에 규정하는 손해보험회사와 체결한 보험계약 기타 시행령으로 정하는 계약을 말한다. 이하 같다)의 보험금(우연한 사고에 기인하는 사망에 따라 지급되는 것에 한한다)을 수령한 경우에는 해당 보험금 수령인(공제금 수령인을 포함한다. 이하 같다)에 대해 보험금(차호에 제시하는 급여 및 제5호 또는 제6호에 제시하는 권리에 해당하는 것은 제외한다) 중 피상속인이 부담한 보험료(공제부금을 포함한다. 이하 같다)의 금액의 해당 계약과 관련된 보험료로 피상속인의 사망 때까지 불입된 것의 전액에 대한 비율에 상당하는 부분

제12조 제1항(상속세의 비과세 재산)
다음에 제시하는 재산의 가액은 상속세의 과세가격에 산입하지 않는다.
5. 상속인이 취득한 제3조 제1항 제1호에 제시하는 보험금(전호에 열

거하는 것은 제외한다. 이하 이 호에서 같다)에 대해서는 가. 또는 나.에 제시하는 경우의 구분에 따라 가. 또는 나.에 정하는 금액에 상당하는 부분

가. 제3조 제1항 제1호의 피상속인의 모든 상속인이 취득한 동호에 해당하는 보험금의 합계액이 5백만 엔에 당해 피상속인의 제15조 제2항에 규정하는 상속인의 수를 곱해서 산출한 금액(나.에 있어서 "보험금의 비과세 한도액"이라 한다.) 이하인 경우 당해 상속인이 취득한 보험금의 금액

나. 가.에 규정하는 합계액이 당해 보험금의 비과세 한도액을 초과하는 경우 당해 보험금의 비과세 한도액에 해당 합계액 중 해당 상속인이 취득한 보험금의 합계액이 차지하는 비율을 곱하여 산출한 금액

제5조 제1항(증여에 의해 취득한 것으로 간주하는 경우)

생명보험 계약의 보험 사고(상해, 질병 기타 이들에 비슷한 보험 사고로 사망을 동반하지 않는 것을 제외한다) 또는 손해 보험 계약의 보험 사고(우연한 사고에 기인하는 보험 사고로 사망을 동반하는 것에 한한다)가 발생한 경우, 이들의 계약에 관련된 보험료의 전부 또는 일부가 보험금 수취인 이외의 사람이 부담한 것일 경우에는 이들의 보험 사고가 일어났을 때에 보험금 수취인이 수취한 보험금(해당 손해보험 계약의 보험금은 정령으로 정하는 것에 한한다) 중 해당 보험금 수취인 이외의 자가 부담한 보험료의 금액의 이들 계약과 관련된 보험료로 이들 보험 사고가 발생할 때까지 불입된 것의 전액에 대한 비율에 상당하는 부분을 해당 보험료를 부담한 자에게서 증여에 의해 취득한 것으로 본다.

한국 상속재산에서 비과세되는 보험금?

나처 씨는 5년 전에 나국제 씨를 피보험자로 하고, 나처 씨가 보험계약자 및 보험수익자인 생명보험을 하나 가입하였습니다. 어느 날 갑자기 나국제 씨가 교통사고로 중상을 입고 사망하게 되었습니다.

나처 씨는 남은 아이들의 생계를 위해 보험회사에 사망보험금을 신청하고, 사망보험금으로 1억 원을 수령했습니다. 나국제 씨가 사망 당시 남긴 재산은 시가 9억 원의 아파트와 예금 등을 합쳐서 10억 원 정도입니다. 주변에 물어보니 배우자와 자식이 있으면 10억 원까지는 상속세가 과세되지 않는다는 말에 마음이 한편 놓였지만, 사망보험금 때문에 마음에 걸렸습니다.

나처 씨가 수령한 사망보험금은 상속재산에 해당될까요?

나처 씨가 보험계약자로서 실질적으로 보험료를 납부하였다면, 보험수익자로서 받은 사망보험금은 상속재산에 해당하지 않아 상속세가 과세되지 않습니다.

•••

다만, 나국제 씨가 실질적으로 보험료를 납부한 경우에는 나국제 씨를 보험계약자로 보아 상속재산에 해당하게 됩니다.

[법적 근거]

상속세 및 증여세법 제8조(상속재산으로 보는 보험금)
① 피상속인의 사망으로 인하여 받는 생명보험 또는 손해보험의 보험금으로서 피상속인이 보험계약자인 보험계약에 의하여 받는 것은 상속재산으로 본다. 〈2010. 1. 1. 개정〉
② 보험계약자가 피상속인이 아닌 경우에도 피상속인이 실질적으로 보험료를 납부하였을 때에는 피상속인을 보험계약자로 보아 제1항을 적용한다. 〈2010. 1. 1. 개정〉

한국 세법상 상속재산으로 보는 보험금은 아래와 같이 계산됩니다.

상속세 및 증여세법 집행기준 8-4-4(상속재산으로 보는 보험금 계산)

$$\text{상속재산으로 보는 보험금} = \text{보험금 총액} \times \frac{\text{피상속인이 부담한 보험료 합계액}}{\text{피상속인이 사망시까지 불입한 보험료 합계액}}$$

피상속인이 부담한 보험료는 보험증권에 기재된 보험료 금액에 의한다. 보험계약에 따라 피상속인이 지급받은 배당금 등으로 보험료에 충당되었을 경우에는 동 금액은 피상속인이 부담한 보험료에 포함된다.

일본 세법의 사망보험금에 관한 비과세 규정은 한국 세법에서는 별도의 규정은 없으며, 다만 유족연금 등은 상속재산에 포함하지 않도록 규정하고 있다.

상속세 및 증여세법 집행기준 10-6-1
(상속재산으로 보지 않는 퇴직금 등)
① 「국민연금법」, 「공무원연금법」, 「공무원재해보상법」, 「사립학교교직원연금법」, 「군인 연금법」, 「산업재해 보상보험법」, 「전직대통령 예우에 관한 법률」, 「별정우체국법」에 따라 지급되는 유족연금, 유족일시금 등
② 「근로기준법」 등을 준용하여 사업자가 그 근로자의 유족에게 지급하는 유족보상금 또는 재해보상금 등

일본에만 했던 상속세 신고 과연?

나조부 씨는 일본 국적의 일본 사람입니다. 하지만 나조부 씨는 원래 한국 국적이었지만, 한국 국적을 포기하고 일본 국적으로 귀화한 사람입니다. 그 후 배우자와 결혼을 하여 일본에서 살고 있었습니다. 하지민, 나이가 80세가 넘어가면서 큰 병에 걸리게 되었습니다. 자신의 고국에서 죽는게 꿈이었던 나조부 씨는 급박한 병의 상태 때문에 일본에서 사망하였습니다.

나조부 씨는 일본에서 사업을 하고 있었는데 재산도 꽤 많아서 재산의 60% 정도는 일본에서 보유를 하고 있었고, 재산의 40% 정도는 한국에서 보유를 한 상태입니다. 가족은 배우자와 자식 2명이 있는 상태입니다. 나조부 씨의 배우자는 남편이 일본 국적이었기 때문에 일본에서 상속세 신고를 하고 세금을 납부하였습니다.

하지만, 최근에 나조부 씨의 자식들은 상속세 신고를 한국에서도 해야 한다는 소리를 들었습니다. 청천벽력 같은 소리였습니다.

과연, 상속세 신고를 한국에서도 하는 것이 맞는 것일까요?

사람이 사망을 하게 되면 다양한 절차 등이 필요하게 됩니다. 그 절차 중의 하나가 상속세 신고입니다. 특히, 재산이 많은 사람들의 경우 상속세 신고가 큰 화두로 떠오르게 됩니다. 상속세 신고를 어떻게 하느냐에 따라서 상속인들의 재산취득 규모와 향후 삶의 질이 달라질 수 있기 때문입니다.

나조부 씨의 경우는 한국에서도 상속세를 신고하는 것이 맞습니다. 왜냐하면 나조부 씨는 세법상 일본의 거주자이고, 한국에서는 비거주자이지만 한국에서 보유하고 있는 재산이 있기 때문입니다. 한국의 상속세법에 보면 국내에 주소를 두거나 183일 이상 거소를 둔 사람은 거주자로 규정하고 있습니다. 사망신고 등의 절차 등은 국적에 따라서 처리를 하더라도 무방합니다. 하지만 세법에서는 국적에 관계없이 거주자, 비거주자라는 개념으로 상속세 신고의무를 부여하고 있습니다. 그중에서도 거주자의 경우는 한국을 포함하여 전 세계의 모든 소득에 대하여 신고를 할 의무를 가지고 있습니다. 그러나 비거주자의 경우에는 상속개시일 현재 피상속인이 소유한 국내에 있는 모든 상속재산이 상속세 과세대상입니다. 그렇기 때문에 나조부 씨의 경우는 한국에서는 비거주자로 판단이 되지만, 한국에 보유한 재산이 있기 때문에 한국에서도 상속세 신고의무를 가진다고 볼 수 있습니다.

위의 상황에서 보듯이 상속세 신고에 있어서 거주자, 비거주자라는 개념이 나오게 되고 이는 매우 중요한 개념입니다. 신고의무를 판단하는데 있어서 중요한 부분으로 떠오르게 될 수 있으며, 판단을 잘못할 경우에는 불이익을 당할 수 있습니다.

거주자, 비거주자란 무엇인가?

거주자·비거주자는 세법상의 개념으로, 세금신고목적으로 사용되는 개념입니다. "거주자"란 국내에 주소를 두거나 183일 이상 거소(居所)를 둔 사람을 말하며, "비거주자"란 거주자가 아닌 사람을 말합니다. 거주자의 경우 국내의 재산을 포함하여 전 세계에 있는 모든 재산에 대하여 신고의무를 가지게 됩니다. 반대로 비거주자의 경우에는 국내에 있는 재산에 한해서 신고의무를 가지게 됩니다.

만약 나조부 씨가 한국에서 상속세 신고를 하지 않게 되는 경우에는, 거액의 가산세를 부담하게 될 것입니다. 무신고가산세 및 납부불성실가산세 등 불필요한 가산세를 낼 수 있기 때문에 현재 상황을 정확히 파악하여 세금신고를 하는 것이 필요합니다.

언뜻 보면 이중과세가 아니냐고 생각하는 사람들이 있을 것입니다. 하지만 상속세의 경우 외국에서 낸 세금의 경우는 "외국납부세액공제"라는 제도를 통해서 한국의 상속세액에서 세액공제를 통해서 이중과세를 조정해주고 있습니다. 외국납부세액공제제도를 통해서 이중과세를 조정하고 있다고 볼 수 있습니다. 하지만, 외국납부세액공제제도를 통해서 이중과세를 조정한다고 하여 모든 금액이 다 조정되는 것은 아닙니다. 상속세 및 증여세 제도는 각 국가별로 조금씩 차이를 보이고 있기 때문에 완벽하다고 볼 수는 없습니다. 대표적으로 한국과 일본의 경우 상속세 부과방식에 있어서 차이를 보이고 있습니다. 그런 까닭에 똑같은 재산에 대하여 신고를 한다고 하여도 결과적으로 일본보다 한국의 상속세가 더 많이 발생하게 됩니다. 그래서 한국에서 신고를 하지 않은 경우에는 납부할 세금과 가산세의 부담이 크게 발생할 수 있습니다.

처음부터 전문가와 함께…

국제적으로 상속이 발생하는 경우에는 어떤 나라의 법을 적용할 것인지부터 시작하여 거주자, 비거주자의 판단 등 다양한 변수들과 함께 판단할 사항 등이 많아지게 됩니다. 그래서 굉장히 난이도가 높은 내용들이 많습니다. 그렇기 때문에 처음부터 전문가와 함께 진행을 하는 것이 불필요한 시행착오를 겪지 않을 것으로 생각됩니다.

[법적 근거]

〈거주자, 비거주자의 판단 관련 최신 판례〉
이중거주자인 경우의 최종거주지국의 판단

대상판결 대법원 2019. 3. 14. 선고 2018두60847 판결
(종합소득세 등 부과처분취소)

사실관계

가. 원고 조○○은 2007년부터 2014년까지 줄곧 일본 프로축구리그에서 활동한 프로축구선수임.

나. 원고는 2012년부터 2014년까지 1년 중 대부분을 일본에서 체류하였던 반면, 축구국가대표로 선발되어 일시적으로 한국을 방문하면서 국내체류일수가 평균 28일에 불과하였음.

다. 피고 동울산세무서장은 원고가 한국 거주자임을 전제로, 원고가 일본 프로축구 구단으로부터 받은 국외원천소득에 대하여 원고에게 2014년 귀속 종합소득세 부과처분을 하였음(다만, 원고가 일본에 납부한 세액은 외국납부세액으로 공제하였음).

이 사건의 쟁점

- 최근 국가 간 경제교류가 활발해지고 개인의 경제활동 범위가 해외로 확대되면서 우리나라 소득세법상 거주자가 다른 나라 세법상 거주자에 해당하는 경우가 많아졌는데, 본 사안에서는 원고가 일본 프로축구리그에서 활약하였던 2014년에 일본 구단에서 받은 국외원천소득인 연봉에 대하여 한국의 과세권이 미치는지 여부가 문제되었음.
- 어느 개인이 소득세법상의 국내 거주자인 동시에 외국의 거주자에도 해당하여 그 외국법상 소득세 등의 납세의무자에 해당하는 경우에는 하나의 소득에 대하여 이중으로 과세될 수 있으므로, 이를 방지하기 위하여 각국 간 조세조약을 체결하여 별도의 규정을 두고 있는데, 한국과 일본도 이와 같은 조세조약(정식 명칭은 '대한민국과

일본국 간의 소득에 대한 조세의 이중과세회피와 탈세방지를 위한 협약'임. 이하 '한 · 일 조세조약'이라 약칭함)을 체결한 바 있음.

- 소득세법상 국내 거주자(계속하여 1년 이상 거주할 것을 통상 필요로 하는 직업을 가진 외국인 등 법령상 요건을 충족한 외국인 등도 포함됨)는 국내 및 국외원천소득에 대하여 신고납부의무(즉, 전 세계에서 발생한 소득에 대하여 한국의 과세권이 인정되나, 외국에서 발생한 소득에 대하여 외국에 세금을 납부한 경우 조세조약이 체결된 경우라면 조세조약이 인정하는 세액에 대하여는 외국납부세액으로 공제됨)를 짐.
- 반면, 소득세법상 비거주자(소득세법상 비거주자로 인정되는 외국인 등뿐만 아니라, 소득세법상 국내 거주자에 해당하나 외국에도 주거가 있는 등 외국 거주자에도 해당하여 이중거주자인 경우, 조세조약상 최종거주지국이 외국 거주자로 판명되어 비거주자로 인정되는 경우 포함)는 국내원천소득(조세조약이 체결된 경우 조세조약이 한국의 과세권을 인정하는 국내원천소득만 해당됨)에 대해서만 납세의무(조세조약이 체결된 경우 조세조약에서 정한 세율에 따른 한국의 과세권만 인정됨. 한편 비거주자가 자신의 거주지국에 세금을 납부할 때 한국에 납부한 세액은 외국납부세액으로 공제될 것이므로, 한국의 과세권을 초과하는 부분에 대한 거주지국의 과세권이 인정되는 것임)를 부담함.

따라서 이 사건의 경우 원고가 2014년도에 한국과 일본의 이중거주자에 해당한다면, 한 · 일 조세조약에 따라 2014년에 원고의 최종거주지국이 한국 또는 일본인지 여부에 따라 원고가 일본에서 얻은 소득에 관하여 한국의 과세권이 미치는지 여부가 결정되는 것임.

- 원고의 최종거주지국이 한국으로 판명된다면 국내 거주자로 한국의 과세권이 인정되므로 피고의 종합소득세부과처분은 적법함.
- 반면 원고의 최종거주지국이 일본으로 판명된다면 일본 거주자로 한국의 과세권이 인정되지 않으므로 피고의 위 처분은 위법함.

- 우리나라가 체결한 조세조약은 대개 최종거주지국을 판단할 때 항

구적주거, 중대한 이해관계의 중심지 등을 순서대로 적용하고 있고, 한 · 일 조세조약도 마찬가지임.

☞ 결국 이 사건의 쟁점은 원고가 한국 거주자인지 여부, 한국 거주자이면서 일본 거주자인 이중거주자일 경우 한 · 일 조세조약에 따른 최종거주지국이 한국 또는 일본인지 여부임.

대상판결의 요지

(1) 원고가 우리나라 소득세법상 거주자인지 여부

국내 · 국외원천소득에 대하여 신고납부의무를 부담하는 소득세법 거주자는 생계를 같이하는 가족, 직업, 자산 상태를 종합적으로 고려하여 해당 여부를 판단하여야 함.

원고 가족의 생활관계, 원고의 재산 상태 등을 종합할 때, 원고는 소득세법상 거주자에 해당함.

(2) 한국-일본 조세조약의 판단 기준인 '항구적 주거'의 소재지

원고는 소득세법상 거주자일 뿐 아니라, 일본에서도 직업을 보유한 일본세법상 거주자이므로, 결국 한 · 일 조세조약에서 정한 판단 기준에 따라 최종거주지국을 결정하여야 함.

- 한 · 일 조세조약에 따르면, 먼저 '항구적 주거'의 소재지를 최종거주지국으로 보되, 두 나라 모두에 항구적 주거가 있을 경우에는 다음 단계의 판단기준인 '중대한 이해관계의 중심지'에 따라 최종거주지국을 판단하여야 함.
- 한편 여기서 말하는 '항구적 주거'란 어느 개인이 계속 머물기 위하여 언제든지 계속 사용할 수 있는 모든 형태의 주거를 뜻하고, 주거의 소유 또는 임차 여부는 항구적 주거 여부의 판단에서 고려되지 않음.
- 원고는 한국에서 아파트를 소유하는 한편, 일본에서는 프로축구구단이 제공한 아파트에서 계속 생활하였음.
- 따라서 원고는 한국 및 일본 양국에 항구적 주거를 두었으므로,

결국 중대한 이해관계의 중심지 기준에 따라 최종거주지국을 판단하여야 함.

(3) 한국-일본 조세조약의 판단 기준인 '중대한 이해관계의 중심지'의 소재지

- 중대한 이해관계의 중심지는 어느 개인과 인적 및 경제적으로 더욱 밀접하게 관련된 체약국을 뜻함.
- 원고는 2007년부터 2014년까지 계속 일본 프로축구리그에서 활동하면서, 1년 중 대부분을 일본에서 체류하였음.
- 반면 국내 체류일수는 평균 28일에 불과한데, 이는 축구국가대표로 선발되어 경기에 참가하기 위한 것이었음.
- 원고는 국내에서 따로 사회활동이나 사업활동을 하지 않았음.
- 이상의 내용을 종합할 때, 원고에 대한 '중대한 이해관계의 중심지'는 일본으로 보아야 함.
- 이처럼 원고의 최종거주지국은 일본이므로, 원고는 국외원천소득에 대하여 우리나라에서 종합소득세 납세의무를 부담하지 않음.
- 따라서 원고가 한국 거주자임을 전제로 국외원천소득(프로축구구단으로부터 받은 소득)에 대하여 이루어진 종합소득세 부과처분은 위법하여 취소되어야 함.

대상 판결의 의의

이 판결은 어느 개인이 한국과 외국의 이중거주자인 경우에 조세조약에 따른 최종거주지국을 판단하는 구체적인 기준을 제시한 판결임. 특히 한·일 조세조약의 최종거주지국 판단 기준인 '항구적 주거' 및 '중대한 이해관계의 중심지'에 관하여 그 의미를 명확히 밝혔다는 점에서 중요함.

김타쿠상은 일본에 주소가 있는데 한국에서도 거주자인가요?

김타쿠상는 한국 국적이나 일본에 주소를 두고 있는 일본 거주자입니다. 최근 한국에서 사업을 하기 위해 한국에 빈번하게 오고가고 있고, 한국에도 법인을 설립하였습니다. 양국에서 급여를 받고 있어서 어느 쪽에서 소득세 합산신고를 해야 하나 고민이 되기도 합니다. 한국에 법인이 사용하는 건물에 투자도 검토 중입니다. 그러던 중에 건강검진을 받았는데 암 판정을 받았습니다. 김타쿠상은 갑자기 상속세 신고는 어찌되는지 궁금해졌습니다. 일본 담당 세리사에게 문의해 보니 소득세법상 일본 거주자라고 합니다.

김타쿠상은 일본의 거주자인데, 상속세 대상 판단시 한국의 거주자에도 해당이 될 수 있을까요?

한국과 일본 간에는 소득에 관한 조세조약이 체결되어 있습니다. 일반적으로 조세조약이 체결되어 있는 경우에는 각 나라의 세법보다 우선 적용하도록 되어 있습니다. 일본 거주자인 경우 원칙적으로 한국 소득세법의 대상이 아닙니다. 물론 한국과 일본에서는 양국의 거주자에 해당하는 경우 한일조세조약 제4조에서 조정을 하도록 되어 있습니다.

•••

한국과 일본 사이에서는 한일상속세조약은 체결되어 있지 않습니다. 따라서 각 나라 세법에 의하여 상속세가 과세되고 있고, 조세조약으로 이중과세 문제를 해결할 수가 없는 상황입니다. 일본은 미국과는 상속세조약이 체결되어 있습니다만, 아직 한국과는 체결되어 있지 않아서 이중과세를 조정하는 부분은 각 나라 세법의 외국납부세액공제를 통하여만 조정이 가능하도록 되어 있습니다.

[법적 근거]

한일조세조약 제2조

1. 이 협약의 적용대상이 되는 조세는 다음과 같다.
   가. 대한민국의 경우
      (1) 소득세
      (2) 법인세
      (3) 소득세 또는 법인세를 과세표준으로 하여 직접 또는 간접으로 부가되는 농어촌특별세 및
      (4) 주민세
      (이하 "한국의 조세"라 한다)
   나. 일본의 경우
      (1) 소득세
      (2) 법인세 및
      (3) 주민세
      (이하 "일본의 조세"라 한다)

한일조세조약 제4조

1. 이 협약의 목적상, "일방체약국의 거주자"라 함은 그 체약국의 법에 따라 주소, 거소, 본점 또는 주사무소의 소재지 또는 이와 유사한 성질의 다른 기준에 따라 그 체약국에서 납세의무가 있는 인을 말한다. 그러나, 이 용어는 동 체약국의 원천으로부터 발생한 소득에 대하여만 동 체약국에서 납세의무가 있는 인은 포함하지 아니한다.
2. 이 조 제1항의 규정에 의하여 어느 개인이 양 체약국의 거주자가 되는 경우, 그의 지위는 다음과 같이 결정된다.
   가. 그는 그가 이용할 수 있는 항구적 주거를 두고 있는 체약국의 거주자로 본다. 그가 양 체약국 안에 이용할 수 있는 항구적 주거를 가지고 있는 경우, 그는 그의 인적 및 경제적 관계가 더 밀접한 체약국(중대한 이해관계의 중심지)의 거주자로 본다.
   나. 그의 중대한 이해관계의 중심지가 있는 체약국을 결정할 수 없

거나 또는 어느 체약국 안에도 그가 이용할 수 있는 항구적 주거를 두고 있지 아니하는 경우, 그는 그가 일상적 거소를 두고 있는 체약국만의 거주자로 본다.

다. 그가 일상적인 거소를 양 체약국 안에 두고 있거나 또는 어느 체약국 안에도 일상적인 거소를 두고 있지 아니하는 경우, 그는 그가 국민인 체약국의 거주자로 본다.

라. 그가 양 체약국의 국민이거나 또는 양 체약국 중 어느 국가의 국민도 아닌 경우, 양 체약국의 권한있는 당국은 상호합의에 의하여 문제를 해결한다.

김타쿠상은 한일조세조약에 따라 소득에 관해서는 한쪽의 거주자로 판정을 받아서 한쪽에서 합산신고 및 납부를 하면 되지만, 상속세에 관해서는 상속인들이 양국에 신고 및 납부를 하여야 하고 다른 과세대상 범위에 대한 외국납부세액을 통해서만 이중과세 조정이 가능합니다. 신고납세방식인 일본과 부과과세세목인 한국의 과세대상부터 사전증여의 합산, 증여세 세율의 차이 등 무수한 차이를 조정하는데 한계가 있는 상황입니다.

한일상속조세조약이 체결되는 것이 합리적이라 판단됩니다만, 현재는 아직 체결되어 있지 않기 때문에 양국의 세법에 의해 양국의 거주자에 동시에 해당되는 경우도 각국의 세법에 맞춰 상속세를 납부하여야 합니다. 양국의 세법에서 불이익을 받지 않기 위해 최대한 노력을 하는 것이 현명하다고 판단됩니다.

PART IV

상속세 신고를 한 후… 다시 보자

1. 왜 남의 세금까지 내야 해?
2. 왜 또 상속세를 내야 해?
3. 이런 것도 있었어?
4. 한국 국세청에 신고한 상속세 재산 내역을 일본 국세청은 알고 있을까?
5. 다른 나라 국세청에서는 재산압류를 못 하는거 아닌가?
6. 상속세 신고만 하면 끝나는 거 아니야?
7. 국세청 신고만 하면 끝나는 거 아니야?

왜 남의 세금까지 내야 해?

나조부 씨는 일본 국적의 일본 사람입니다. 한국인 배우자(나조모)가 있었던 나조부 씨는 사망하기 3년 전부터 한국에서 거주를 하며 병치료를 받다가 사망하였습니다.

나조부 씨는 과거에 일본에서 결혼을 했었습니다. 일본인 배우자와의 사이에서는 자식이 3명 있었습니다. 하지만 일본인 배우자는 지병으로 일찍이 사망하였고, 한국의 배우자와의 사이에서는 자식이 2명이 있습니다. 나조부 씨는 사업을 하여 많은 재산을 보유하고 있었습니다. 한국에 절반, 일본에 절반씩 재산을 보유하고 있었고, 상속이 발생한 후 재산의 배분은 적절히 협의가 되었습니다. 그 후 상속세 신고를 할 때에 문제가 생기가 되었습니다. 나조부 씨가 세법상 한국의 거주자가 되면서, 일본의 상속인들에게도 상속세 납부의무가 발생한 것입니다.

하지만, 일본의 상속인들은 이 사실들을 이해하지 못하고 있습니다. 전문가를 찾아가 상담을 한 나조모 씨는 일본의 상속인들이 세금을 내지 않을 경우 한국의 상속인들이 상속받은 재산에서 세금을 연대하여 납부해야 한다고 들었습니다. 과연, 나조모 씨는 일본 상속인들의 세금까지 내야 하는 것이 맞는 것일까요?

상속세 신고는 매우 복잡한 절차를 거치게 됩니다. 복잡한 절차 중에서도 매우 중요한 것은 재산협의 및 재산분할이라고 할 수 있습니다. 특히 이 과정에서 많은 분쟁이 발생하게 됩니다. 그리고 그때 세금문제도 같이 발생하게 됩니다.

나조모 씨의 경우에 일본 상속인들의 세금까지 부담할 수도 있습니다. 왜냐하면 한국의 상속세 및 증여세법에서는 수인이 공동으로 상속받은 경우 부과된 상속재산 중 각자가 받았거나 받을 재산을 한도로 하여 상속세를 연대하여 납부할 의무가 있습니다. 이것을 상속세 연대납세의무라고 합니다.

따라서 일본의 상속인들이 상속세 납부의무가 있음에도 한국에서 상속세 납부의무를 이행하지 아니하는 경우에는 나조모 씨의 경우 본인이 받은 상속재산의 범위 내에서 본인에 대한 부분의 상속세는 물론 일본 상속인들의 세금까지 납부를 해야 될 상황이 발생할 수 있습니다. 그래서 나조모 씨의 경우 상속재산이 하나도 남지 않는 경우가 발생할 가능성도 있습니다.

[관련 법률]

상속세 및 증여세법 제3조의 2(상속세 납부의무)
① 상속인(특별연고자 중 영리법인은 제외한다) 또는 수유자(영리법인은 제외한다)는 상속재산(제13조에 따라 상속재산에 가산하는 증여재산 중 상속인이나 수유자가 받은 증여재산을 포함한다) 중 각자가 받았거나 받을 재산을 기준으로 대통령령으로 정하는 비율에 따라 계산한 금액을 상속세로 납부할 의무가 있다. 〈개정 2015. 12. 15.〉
② 특별연고자 또는 수유자가 영리법인인 경우로서 그 영리법인의 주주 또는 출자자(이하 "주주등"이라 한다) 중 상속인과 그 직계비속이 있는 경우에는 대통령령으로 정하는 바에 따라 계산한 지분상당액을 그 상속인 및 직계비속이 납부할 의무가 있다. 〈개정 2015. 12. 15.〉
③ 제1항에 따른 상속세는 상속인 또는 수유자 각자가 받았거나 받을 재산을 한도로 연대하여 납부할 의무를 진다. 〈개정 2015. 12. 15.〉

만약 한국에서 상속세 신고를 하지 않게 되는 경우에는, 거액의 가산세를 부담하게 될 것입니다. 무신고가산세 및 납부불성실가산세 등 불필요한 가산세를 낼 수 있기 때문에 현재 상황을 정확히 파악하여 세금신고를 하는 것이 필요합니다.

언뜻 보면 이중과세가 아니냐고 생각하는 사람들이 있을 것입니다. 하지만, 거주자의 경우 외국에서 낸 세금의 경우는 "외국납부세액공제"라는 제도를 통해서 한국의 상속세에서 세액공제를 해주고 있습니다. 이처럼 국제 상속의 경우에는 연대납세의무, 외국납부세액공제 등 다양한 걸림돌이 존재하게 됩니다. 다양한 걸림돌을 문제없이 뛰어넘을 수 있는 지혜가 필요할 것입니다.

연대납세의무란?

원칙적으로 하나의 납세의무가 여러 사람에게 동시에 발생하는 것을 의미하는 것이나, 국세기본법과 개별세법은 이를 변형시켜 납세의무 중 납부의무를 확장시키는 방법으로 사용하고 있습니다. 따라서 여러 사람이 동시에 전액의 납부의무를 부담하는 국세기본법의 규정과는 달리, 개별세법은 각각 한도를 두는 특징이 있습니다. 이에 국세기본법은 공유물 · 공동사업 등의 경우와 법인분할의 경우, 소득세법에서는 공동사업 등과 공동사업합산의 경우, 지방세법도 공유물 등에 대한 연대납세의무, 법인세법은 해산시 잔여재산분배를 한 청산인과 분배를 받은 자에 대하여 연대납세의무를 지우며, 상속세 및 증여세법은 상속인과 수유자, 증여자와 수증자에 대하여 연대납세의무를 지우는 규정을 두고 있습니다.

왜 또 상속세를 내야 해?

나부 씨의 아버지인 나조부 씨는 한국 국적의 사람입니다. 나조부 씨는 일본에서 7년동안 사업을 하다가 불의의 사고로 사망하였습니다. 나부 씨는 나조부 씨의 상속세 신고를 하기 위하여 주변의 세무사를 찾아가 상담을 받았습니다.

나조부 씨는 일본에서 사업을 하고 있었는데, 재산도 꽤 많아서 많은 재산을 형성한 상태입니다. 하지만, 대부분의 재산은 일본에 있었습니다. 나부 씨는 상담을 받던 중 한국과 일본 양쪽에서 상속세 신고를 해야 된다는 소리를 듣고 깜짝 놀랐습니다. 나조부 씨는 아버님이 당연히 한국에서만 상속세 신고를 하면 된다고 알고 있었는데, 믿기지 않았습니다. 나부 씨는 상속세를 이중으로 내야 하는거 아니냐는 생각이 들었습니다.

과연, 나부 씨는 한국과 일본 양쪽에서 상속세를 이중으로 내는 것일까요?

사람이 죽게 되면 그 사람에게 관련된 재산이 남게 됩니다. 그 재산에 대해서 상속인들이 있을 경우 상속세 신고를 하게 되는데, 2군데 이상의 국가에서 재산을 가지고 있을 경우에 거주자로 판단되는 국가에서는 자기가 보유하고 있는 전 세계의 재산에 대해서 상속세를 신고하고 납부하여야 합니다.

나조부 씨의 경우는 사망 직전 일본에서 약 7년 정도 사업을 하다가 사망하였습니다. 나조부 씨의 경우 일본 세법에서 보면 일본 세법상 거주자에 해당합니다. 그렇기 때문에 일본에서도 전 세계의 모든 재산에 대해서 상속세 신고를 할 의무가 발생하게 됩니다. 그리고 한국에는 가족이 있고 자신의 중요한 기반과 향후 한국으로 돌아오는 것이 예상이 되는 상황으로 볼 수 있기 때문에 나조부 씨는 한국의 거주자에도 해당합니다. 그렇기 때문에 한국에서도 상속세를 신고하는 것이 맞습니다. 이때 상속세 신고를 2군데에서 하게 되면 이중과세가 아닌지에 대한 의문이 들 것입니다. 이때 이것을 해결해주는 것이 "외국납부세액공제"라는 제도입니다. 외국납부세액공제는 국제적인 이중과세를 방지하기 위해서 동일한 재산에 대해 같은 종류의 조세를 국내와 국외에서 각각 과세하여 이중부담을 지우는 것을 방지하기 위해서 만들어진 제도입니다.

거주자, 비거주자란 무엇인가?

거주자 · 비거주자는 세법상의 개념으로, 세금신고목적으로 사용되는 개념입니다.

나조부 씨는 현재 한국과 일본 양국에서 상속세 신고의무를 지게 되는 상황에서 나부 씨가 아버님의 재산을 파악하여 한국에서 상속세 신고와 납부를 먼저 하고, 일본에서도 상속세 신고를 할 경우에 산출된 상속세액에서 한국에서 부담한 상속세를 "외국납부세액공제"라는 제도를 통해서 공제를 해주기 때문에 이중으로 세금을 부담하는 것을 방지하고 있습니다. 반대의 경우에도 마찬가지라고 할 수 있습니다.

언뜻 보면 이중과세가 아니냐고 생각하는 사람들이 있을 것입니다. 그리고 외국납부세액공제 제도를 통해서 이중과세를 조정한다고 하여 모든 금액이 다 조정되는 것은 아닙니다. 상속세 및 증여세 제도는 각 국가별로 조금씩 차이를 보이고 있습니다. 대표적으로 한국과 일본의 경우 상속세 부과방식에 있어서 차이를 보이고 있습니다. 그런 까닭에 똑같은 재산에 대하여 신고를 한다고 하여도 일본보다 한국이 상속세가 더 많이 발생하게 됩니다. 그래서 한국에서 신고를 하지 않은 경우에는 납부할 세금과 가산세를 더해서 더 큰 부담이 발생할 수 있습니다.

처음부터 전문가를 찾아서…

국제적으로 상속이 발생하는 경우에는 어떤 나라의 법을 적용할 것인지부터 시작하여 거주자, 비거주자의 판단 등 다양한 변수 등과 함께 판단할 사항 등이 많아지게 됩니다. 그래서 굉장히 난이도가 높은 내용들이 많습니다. 그러므로 처음부터 전문가를 찾아서 조언을 구하면서 진행하는 것이 좋을 것입니다.

외국납부세액공제액

거주자의 사망으로 인하여 상속세를 부과하는 경우에는 무제한납세의무자에 해당되므로 피상속인이 보유하던 국내외의 모든 재산에 대하여 상속세를 부과합니다. 거주자의 사망으로 상속세를 부과하는 경우로서 외국에 있는 상속재산에 대하여 외국의 법령에 따라 상속세를 부과받은 경우에는, 그 부과받은 상속세에 상당하는 금액을 상속세산출세액에서 공제합니다.

이 경우 상속세산출세액에서 공제할 외국납부세액은 다음 계산식에 따라 계산한 금액으로 합니다. 다만, 그 금액이 외국의 법령에 따라 부과된 상속세액을 초과하는 경우에는 그 상속세액을 한도로 합니다.

$$\text{상속세산출세액} \times \frac{\text{외국의 법령에 따라 상속세가 부과된 상속세의 과세표준}}{\text{상속세의 과세표준}}$$

산식에서 “외국의 법령에 따라 상속세가 부과된 상속세의 과세표준”은 해당 외국의 법령에 따른 상속세의 과세표준을 말합니다. 이 경우 외국의 법령에 따라 부과된 상속재산의 과세표준과 상속세액은 평가기준일 현재 외국환거래법에 따른 기준환율 또는 재정환율에 의하여 환산한 가액으로 이를 평가함이 타당합니다.

그렇기 때문에 국제 상속에서는 첫 시작 단추를 잘 끼우는 것이 중요하다고 할 수 있습니다. 처음부터 아무런 개념없이 접근하게 된다면 금전적 · 시간적으로 손해를 볼 수 있기 때문에 철저한 계획과 준비를 하여 접근해야 될 것입니다.

[관련 법령]

상속세 및 증여세법 제29조(외국납부세액공제)

거주자의 사망으로 상속세를 부과하는 경우에 외국에 있는 상속재산에 대하여 외국의 법령에 따라 상속세를 부과받은 경우에는 대통령령으로 정하는 바에 따라 그 부과받은 상속세에 상당하는 금액을 상속세산출세액에서 공제한다.

상속세 및 증여세법 시행령 제21조(외국납부세액공제)

① 법 제29조에 따라 상속세산출세액에서 공제할 외국납부세액은 다음 계산식에 따라 계산한 금액으로 한다. 다만, 그 금액이 외국의 법령에 따라 부과된 상속세액을 초과하는 경우에는 그 상속세액을 한도로 한다.

$$\text{상속세산출세액} \times \frac{\text{외국의 법령에 따라 상속세가 부과된 상속재산의 과세표준 (해당 외국의 법령에 따른 상속세의 과세표준을 말한다)}}{\text{법 제25조 제1항에 따른 상속세의 과세표준}}$$

② 제1항의 규정에 의하여 외국납부세액공제를 받고자 하는 자는 기획재정부령이 정하는 외국납부세액공제신청서를 상속세과세표준신고와 함께 납세지 관할 세무서장에게 제출하여야 한다.

이런 것도 있었어?

나조부 씨는 향년 85세에 한국에서 사망하였습니다. 그리고 나조부 씨의 상속인은 일본 국적의 자녀와 한국 국적의 배우자와 자녀들이 있습니다. 이 상황에서 갑자기 나자식이라는 사람이 나조부 씨의 자식이라고 하면서 "인지"라는 제도를 통해서 자식으로 인정을 받게 되었습니다.

평소에 한국의 자녀와 일본의 자녀들은 사이가 별로 좋지 않았는데, 나조부 씨는 많은 재산을 남기고 떠났습니다. 예금이 약 40%, 부동산이 60% 정도입니다. 이 상황에서 상속세 신고를 하고 상속재산 협의를 하기 위해서 각 상속인들이 만났었지만 별다른 성과는 없었습니다. 결국 각 상속인들은 나자식 씨가 나타남으로 인해서 자신의 상속지분이 줄어드는 것에 대해서도 동의하지 못했고, 결국 소송을 통한 법정싸움을 하게 되었습니다.

현재 일본과 한국에서 기본적인 상속세 신고를 하였지만, 법정싸움으로 인해서 상속세 납부를 하지 못하고 있는 상황입니다. 결국 국세청에서는 나조부 씨가 남긴 재산에 대하여 압류를 하기 시작하였고, 공매 등 처분을 하여 회수를 할 예정입니다. 이때 한국의 상속인 중에 한 명인 나부 씨가 전문가와 상담을 하던 중 체납처분유예라는 것을 듣게 됩니다. 체납처분유예라는 것을 신청해서 승인을 받으면 체납처분이 유예가 된다는 것이라고 합니다. 이 제도를 활용할 수 있는 것일까요?

나조부 씨의 사례처럼 조금 복잡할 수 있지만, 각 상속인들이 모두 동의를 하고 향후 납부할 것이 확실하다고 세무서로부터 인정을 받으면 체납처분유예를 신청하여 승인을 받을 수 있습니다. 하지만 모든 사람들이 다 체납처분유예 혜택을 볼 수 있는 것은 아닙니다. 체납처분유예라는 것은 납세자가 납부기한 내에 납세의무를 이행하지 아니하면 이를 체납이라고 하는데, 체납을 하게 되면 징세관청은 독촉을 한 후에 압류를 하고 그 압류재산을 매각하여 체납세액에 충당하는 일련의 강제징수절차를 실행할 수 있으나 납세자에게 그 체납세액을 납부할 수 없는 어려운 사정이 있는 경우에는 압류 또는 공매 등을 유예하여 납세자에게 기한의 이익을 주는 제도를 말합니다.

•••

징수유예는 고지된 납부기한 내에 또는 독촉에 의한 납부기한 내에 납세자의 신청에 의하거나 징세관청의 직권에 의하여 그 납부기한을 연장하는 제도인데 반해, 체납처분유예는 이미 독촉에 의한 납부기한까지 경과하여 압류를 할 수 있는 상태이거나 압류한 후 매각을 할 수 있는 상태에서 납세자의 사정을 고려하여 매각을 미루어 줌으로써 납세자의 납세능력을 회복하게 되고 사업의 정상적인 운영을 돕고자 하는 강제 징수유예 제도입니다.

우선 체납처분유예를 받기 위하여 납세자는 세무서장에게 체납처분유예신청을 하여야 하고, 일정한 요건을 모두 충족하는 경우에는 세무서장으로부터 승인을 받을 수 있습니다. 유예를 할 수 있는 기간은 유예결정일로부터 1년 내로 하며, 재산의 압류를 유예하거나 압류한 재산을 해제하는 경우에는 그에 상당하는 납세담보의 제공을 요구받을 수 있습니다.

체납처분유예를 받게 되면 다양한 효과가 발생하게 됩니다. 우선 대표적으로 징수권의 소멸시효가 정지가 되며, 징수유예기간은 중가산금 계산기간에 산입하지 않는데 반해 체납처분유예기간은 중가산금 계산기간에 산입하므로 계속 중가산금이 부과됩니다.

이외에도 비슷해 보이지만 국제 상속 및 상속분쟁시에 많이 활용되고 있는 것들을 소개하겠습니다. 먼저 연부연납제도입니다. 연부연납

제도는 거액의 세금을 금전으로 납부하기 곤란한 경우에 수회로 분할하여 연납하도록 함으로써 기한의 편의를 제공하는 것으로서, 이것을 연부연납제도라고 합니다. 연부연납제도는 납세의무자에게 분할 납부 및 기한유예의 편익을 제공하려는 데에 그 취지가 있으며, 납세의무자의 실제 납세자력의 유무와는 직접적인 관계가 없습니다.

연부연납의 경우에는 납부세액이 2천만 원을 초과하여야 하며, 일정한 담보를 제공하여야 합니다. 연부연납 기한은 5년 이내의 기한 범위 내에서 가능하며 연부연납을 허가하게 되면 연부연납 허가를 받은 자는 납부기한의 이익을 얻게 되는데, 따라서 연부연납 허가를 받은 자는 연부연납금액과 연부연납일수에 가산율을 적용하여 산정한 가산금을 각 회분의 분할납부 세액에 가산하여 납부하여야 합니다.

그리고 이외에 물납이라는 제도도 있습니다. 세금의 납부는 원칙적으로 금전으로 납부하여야 합니다. 그러나 상속세 및 증여세의 경우에는 거액의 세금인 경우가 많고, 상속재산 또는 수증재산의 대부분이 부동산과 유가증권으로 구성되어 있어서 일시에 금전으로 환가하여 납부하는 것은 납세의무자에게 새로운 부담이 될 수가 있습니다. 이러한 경우에 납세의무자에게 상속세 및 증여세 납부의 어려움을 해소하기 위하여 납세의무자의 신청에 의하여 당해 상속재산이나 증여재산으로 납부하도록 하는 것을 물납이라고 합니다.

이처럼 거액의 상속세를 납부하기 어려운 사정이 있거나 힘든 경우에는 상심하지 말고, 다양한 제도를 활용해서 현명하게 극복하는 방법도 있습니다. 특히나 세액이 큰 액수일수록 미리 전문가와 충분한 상담을 통하여 다양한 제도 등을 활용해보는 것도 좋은 방법이라 할 수 있습니다.

체납처분유예사유

세무서장은 체납자가 다음의 어느 하나에 해당하는 경우에는 그 체납세액에 대하여 체납처분에 의한 재산의 압류나 압류재산의 매각을 유예할 수 있습니다. 이 경우 징수가능성의 판단은 징세관청의 재량에 속한다고 볼 수 있습니다.

① 국세청장에 성실납세자로 인정하는 기준에 해당하는 경우
② 재산의 압류나 압류재산의 매각을 유예함으로써 사업을 정상적으로 운영할 수 있게 되어 체납세액의 징수가 가능하다고 인정되는 경우

한국 국세청에 신고한 상속세 재산 내역을 일본 국세청은 알고 있을까?

일본에서 살고 있는 나국제 씨는 돌아가신 아버지가 한국에 보유하고 있던 아파트와 금융자산을 상속받았습니다. 나국제 씨는 한국에 있는 상속재산은 한국 국세청에 신고하는 것으로 알고 있기 때문에, 한국 국세청에는 상속세 신고를 마쳤습니다. 일본에서 한국과 일본에 있는 상속재산을 모두 합쳐 상속세 신고를 하려고 준비하다 보니, 나국제 씨는 약간의 의문이 생겼습니다.
"일본 국세청에서 한국에 있는 상속재산 내역은 알지 못하지 않을까?"

나국제 씨가 한국 상속재산을 빼고 일본 국세청에 일본 상속재산만 신고한다면 일본에서의 상속세를 크게 줄일 수 있기 때문이었습니다.

과연, 일본 국세청은 나국제 씨의 한국에서의 상속재산 내역을 알고 있을까요?

자국의 국세청은 자국에 소재한 재산만 파악할 수 있는 것이 일반적이라 할 수 있습니다. 원칙적으로 다른 나라 국세청의 협조 없이는 다른 나라에 소재한 재산 내역을 파악할 수 없게 되는 것입니다. 대부분 국가의 국세청에서 보유한 재산, 소득 등의 내역은 세무정보의 비밀유지 원칙에 따라 다른 나라 국세청을 포함한 타인에게 제공되지 않고 철저하게 보호되고 있기 때문입니다.

다만, 세무정보를 공유할 수 있는 법적근거 또는 이에 상당하는 조세조약이 있는 경우에는 세무정보를 공유하고 있습니다.

한국과 일본의 경우, 기존에는 한일조세조약에 따라 소득세, 법인세, 농어촌특별세, 주민세의 과세에 대해서만 한국과 일본 국세청 간 세무정보 교환이 가능했으나, 2012년부터는 다자간 조세행정공조협약을 맺어 상속세 및 증여세를 포함한 전 세목에 대한 세무정보교환이 가능해졌습니다.

다자간 조세행정공조협약은 한국과 일본뿐만 아니라 115개 국가(속령 17개)가 다자간으로 맺은 조세조약으로, 2012년부터는 전 세계 대부분 나라의 국세청 간 상속세 관련 정보교환이 가능하게 되었습니다.

일본 국세청은 다자간 조세행정공조협약에 따라 한국 국세청에 나국제 씨가 상속받은 한국에 소재한 상속재산 내역을 요구할 수 있고, 한국 국세청은 특별한 사정이 없는 한 일본 국세청의 요청에 응해야 합니다.

따라서, 나국제 씨가 한국에 상속세 신고한 재산 내역을 누락하고 일본에 상속세를 신고하지 않는다면, 일본에서 큰 문제가 될 수 있습니다.

[법적 근거]

다자간 조세행정공조협약: 2010. 5. 27. 파리에서 서명, 2012. 7. 1. 발효

제2조(대상 조세) 1. 이 협약은 다음에 적용된다.

가. 다음의 조세
  당사국에 의하여 부과된
  1) 소득 또는 이윤에 대한 조세
  2) 소득 또는 이윤에 대한 조세와 별도로 부과되는 양도소득에 대한 조세
  3) 순 자산에 대한 조세
  그리고

나. 다음의 조세
  1) 당사국의 정치적 하부조직이나 지방당국에 의하여 부과되는 소득, 이윤, 양도소득 또는 순자산에 대한 조세
  2) 일반 정부나 공법에 따라 설립된 사회보장기관에 납부하는 의무적 사회보장보험료
  3) 당사국에 의하여 부과되는 관세를 제외한 다른 범주에 해당하는 조세, 즉

가) 유산·상속 또는 증여세
나) 부동산에 대한 조세
다) 부가가치세 또는 판매세와 같은 일반소비세
라) 개별소비세와 같은 재화와 용역에 대한 특정 조세
마) 자동차의 사용 또는 소유에 대한 조세
바) 자동차 이외의 동산의 사용 또는 소유에 대한 조세
사) 그 밖의 모든 조세

제4조(일반 규정) 1. 당사국은 특히 이 절에서 규정하는 바와 같이 다음 각호와 관련될 것으로 예상되는 모든 정보를 교환한다.
가. 조세의 부과와 징수, 조세채권의 추심 및 집행, 그리고
나. 행정당국에 제기된 소추 또는 사법기관에 제기된 소추 개시
이러한 목적과 관련이 없을 것으로 보이는 정보는 이 협약에 따라 교환되지 아니한다.

제5조(요청에 의한 정보교환)
1. 요청국의 요청이 있는 경우 피요청국은 요청국에게 특정인 또는 특정 거래와 관련하여 제4조에서 언급된 모든 정보를 제공한다.
2. 피요청국의 세무자료상 이용 가능한 정보만으로는 정보 요청에 따르기 충분하지 아니한 경우 그 피요청국은 요청된 정보를 요청국에 제공하기 위하여 모든 관련 있는 조치를 한다.

다른 나라 국세청에서는 재산압류를 못하는 거 아닌가?

나국제 씨는 한국 국적이나 일본에 주소를 두고 있는 일본 거주자입니다. 최근 나국제 씨의 아버님이 불의의 사고로 돌아가셨습니다. 상속 과정에서 알고 보니, 나국제 씨의 아버님은 일본에는 재산이 별로 없는 반면, 한국에는 예전 선친 때부터 물려받은 엄청난 상당액의 부동산을 소유하고 계셨었습니다. 나국제 씨는 국제 상속 전문 세무전문가를 통해 상속세를 알아본 결과, 한국에는 약 15억 원, 일본에도 약 1억 엔이 발생한다고 합니다.

한국에 있는 많은 부동산을 상속받은 나국제 씨는 이럴 바에는 일본에는 상속세 1억 엔을 내지 않고, 일본의 모든 재산을 정리하여 부동산 재산이 있는 한국에 들어가서 살까하고 생각하고 있습니다. 부동산 재산이 있는 한국에는 상속세를 모두 납부하면 한국 국세청에서는 문제될 것이 없고, 일본 국세청이 일본에는 재산이 없는데 한국에 있는 재산까지는 손대지 못할 것으로 생각했기 때문입니다.

과연 나국제 씨가 일본에는 상속세를 내지 않고 한국으로 간다면, 체납된 일본 국세청에서는 한국에 있는 재산에 대해서 재산압류를 못하는 것인가요?

• • •

원칙적으로 다른 국가에 소재한 재산에 대해서는 국세청의 재산압류 등 체납처분이 불가능합니다. 그러나, 한국과 일본 간에는 조세조약이 체결되어 있습니다. 한일조세조약에 따르면, 소득세 및 법인세 등 소득에 관련된 체납에 대해서는 징수공조를 할 수 있도록 되어 있습니다. 소득과 관련된 체납의 경우에는, 일본에서 체납된 세금을 한국에서 대신 거두어 주는 것입니다. 한일조세조약에는 소득에 관한 세목만 징수공조할 수 있도록 규정되어 있어 상속세 체납의 경우에는 징수공조가 쉽지 않았습니다.

[법적 근거]

한일조세조약 제2조

1. 이 협약의 적용대상이 되는 조세는 다음과 같다.
   가. 대한민국의 경우
      (1) 소득세
      (2) 법인세
      (3) 소득세 또는 법인세를 과세표준으로 하여 직접 또는 간접으로 부가되는 농어촌특별세 및
      (4) 주민세
      (이하 "한국의 조세"라 한다)
   나. 일본의 경우

(1) 소득세
(2) 법인세 및
(3) 주민세
(이하 "일본의 조세"라 한다)

한일조세조약 제27조

1. 각 체약국은 이 협약에서 타방체약국에 의하여 허용된 조세의 면제 또는 경감세율이 그러한 혜택을 받을 자격이 없는 인에 의하여 향유되는 일이 없도록 하기 위하여 그 타방체약국에 의하여 부과된 조세를 징수하도록 노력하여야 한다. 그러한 징수를 행하는 체약국은 그와 같이 징수된 금액에 대하여 그 타방체약국에 대하여 책임을 진다.
2. 제1항의 규정은 어떠한 경우에도 조세징수에 노력하는 어느 체약국에게 당해 체약국의 법률 및 행정관행에 모순되거나 또는 공공정책(공공질서)에 배치되는 행정조치를 취할 의무를 지우는 것으로 해석되지는 아니한다.

그러나, 2012년부터는 다자간 조세행정공조협약을 맺어 상속세 및 증여세를 포함한 전 세목에 대한 체납세금에 대한 징수공조가 가능해졌습니다. 일본에서 체납된 상속세의 경우에도 한국에서 대신 걷어줄 수 있다면, 한국 국세청이 대신하여 세금을 걷어 일본 국세청에 주는 것입니다.

[법적 근거]

다자간 조세행정공조협약
제11조(조세채권의 추심)

1. 요청국의 요청이 있는 경우 피요청국은 제14조와 제15조에 따를 것을 조건으로 처음 언급된 당사국의 조세채권을 자국의 조세채권인 것

처럼 추심하기 위하여 필요한 조치를 한다.
2. 제1항은 그 조세채권이 요청국에서 집행을 허용하는 증서의 대상이 되는 경우에만, 그리고 관련 당사국 간에 달리 합의되지 않는 한 분쟁이 되지 않는 경우에만 적용된다. 그러나 그 채권이 요청국의 거주자가 아닌 인에 대한 것일 경우 제1항은 관련 당사국 간에 달리 합의되지 않는 한 그 채권이 더 이상 분쟁이 될 수 없는 경우에만 적용된다.
3. 사망자 또는 그의 유산과 관련된 조세채권의 추심에 대하여 협조를 제공할 의무는 그 채권이 유산으로부터 추심되거나 그 수혜자로부터 추심되는지 여부에 따라 유산의 가치나 각각의 유산 수혜자가 취득한 재산의 가치에 한정된다.

제12조(보전 조치)
요청국의 요청이 있는 경우 피요청국은 조세액의 추심을 위하여 그 채권이 분쟁이 되고 있거나 또는 집행을 허용하는 증서의 대상이 아직 아닌 경우에도 보전 조치를 한다.

일본 국세청의 경우, 53개국과 조세조약에 징수공조 협약 내용을 담아 운용하고 있으며, 최근에는 일본에 사는 부모로부터 재산을 증여받은 호주 거주자에 대해 호주 국세청과의 징수공조로 약 8억 엔의 체납세금을 받아냈다고 합니다. 점점 체납세금에 대한 체납처분 집행이 국경을 초월해서 운용되고 있는 것입니다.

나국제 씨의 경우에는 한국에만 세금을 내고 일본 국세청에 세금을 내지 않고 한국에 간다면, 한국 국세청에서 일본 국세청을 대신하여 한국에 소재한 부동산에 대해 체납처분을 할 가능성이 높습니다. 따라서, 국제 상속에 있어서 양국의 상속세는 모두 납부해야 피해를 보지 않습니다.

상속세 신고만 하면 끝나는 거 아니야?

나조부 씨는 일본에서 사업을 하고 있었습니다. 한국인 배우자와 결혼을 하여 한국에서 거주를 하였고, 일본을 오가며 사업을 운영하고 있었습니다. 하지만 80대로 접어들면서 큰 병에 걸리게 되었고, 한국에서 거주를 하며 병치료를 받다가 사망하였습니다.

나조부 씨는 재산도 꽤 많아서 많은 재산을 형성한 상태입니다. 재산은 일본에 60%, 한국에 40% 정도를 남기고 사망하였습니다. 가족은 배우자와 자식 2명이 있는 상태입니다. 하지만 나조부 씨는 일본에서 사업을 하면서 내연녀와의 사이에서 자식을 낳았습니다. 갑자기 내연녀와의 사이에서 낳은 자식이 나타나게 되었고, 그 자식은 일본에서 거주를 하고 있는 일본 국적의 사람이었습니다.

이 상황을 모두 받아들인 한국의 상속인들은 일본과 한국에서 상속세 신고를 모두 하였습니다. 안도의 한숨을 내쉬고 있던 상속인들에게 갑자기 국세청에서 세무조사를 하자고 하면서 조사를 하기 시작하였고, 무려 10억 원이 넘는 세금을 추징당할 위기에 처했습니다. 이에 상속인들은 몹시 당황하고 있습니다. 과연, 상속세 신고는 한번 하게 되면 끝나는 것이 맞는 것일까요?

상속세 신고는 매우 귀찮기도 하고 복잡한 존재입니다. 사람이 죽어서 힘들고 정신이 없는 상황에 고인이 남기고 간 재산에 대해서 신고도 하고 세금도 내라고 하니 상속인들 입장에서는 땅을 칠 일입니다.

위 나조부 씨의 사례처럼 분명히 상속세 신고를 했음에도 불구하고 세무조사를 통하여 거액의 세금을 추징하는 사례가 비일비재하다고 볼 수 있습니다. 상속세 신고는 한번 한다고 해서 모두 끝나는 것이 아닙니다. 더욱이 상속재산금액이 큰 경우에는 더더욱 끝나지 않는다고 볼 수 있습니다. 왜냐하면 우리나라의 상속세 및 증여세는 "정부부과세목"이기 때문입니다. 갑자기 무슨 말이냐구요? "정부부과세목"이라는 것은 정부, 즉 국세행정기관이 조세법상의 조세채권을 구체적으로 확정하는 지위에 있는 제도를 말합니다. 정부부과 과세제도하에서도 근래에는 납세의무자에게 과세표준 및 세액의 신고의무를 과하는 것이 통례이나 이 경우 신고는 현실적인 납세의무를 확정시키는 조세법상의 효력이 있는 것이 아니라, 다만 정부가 조세채권을 구체적으로 확정시키는 행위에 대한 참고적 자료에 불과한 것이라고 할 수 있습니다.

이처럼 우리가 흔히들 알고 있는 상속세 및 증여세 신고를 하는 것은 협력의무에 불과하다고 볼 수 있습니다. 그렇기 때문에 협력의무에 불과한 신고의무를 납세의무자가 이행하게 되면, 국세행정기관에서는 이것을 면밀히 검토 및 확인하여 정확한 세금을 국세행정기관에서 결정하게 됩니다. 이때 정확한 금액을 결정하기 위하여 세무조사 등의 절차가 필요하게 되면, 세무조라는 절차를 통해서 정확한 금액을 결정하기도 합니다. 이 중에서도 상속재산금액이 큰 경우일수록 세무조사가 찾아올 확률은 높다고 볼 수 있습니다.

여기서 한가지 의문점이 들 수 있습니다. 협력의무에 불과하다고 하면 신고를 하지 않고 버티다가 국가에서 조사를 통해서 세금을 확정했을 때에 세금을 내면 좋지 않냐고 하는 생각이 들 수가 있습니다. 하지만 이는 정말 잘못된 생각입니다. 우리나라 세법에서는 협력의무에 불과한 위 세금에 대해서도 신고를 하지 않았을 경우 무시무시한 가산세를 부과하고 있습니다. 괜히 신고를 안하고 있다가 불필요한 가산세를 부담하게 된다면 정말 억울할 것입니다. 그렇기 때문에 아무리 신고가 협력의무에 불과하다고 해도 신고는 당연히 하는 것이 맞다고 볼 수 있습니다.

그리고 나조부 씨의 경우에는 국제 상속의 사례에 해당하기 때문에 일본에서도 상속세 신고를 하였습니다. 한국에서 상속조사를 받게 되면 한국과 일본 간에 체결된 정보공유법률로 인해서 한국의 국세청이 일본의 국세청에 일본에서 신고한 상속세 신고서를 요청하여 받을 수도 있게 됩니다. 위의 사례에서도 보듯이 상속세 신고는 정말 간단한 것이 아니라 공포의 대상이라고도 할 수 있습니다.

상속세를 조사결정하는 기간

세무서장 또는 지방국세청장 등은 상속세의 신고에 의하여 과세표준과 세액을 상속세 신고기한 내("법정결정기한")에 과세표준과 세액을 조사하여 결정합니다. 하지만 "법정결정기한" 이내에 과세표준과 세액을 부득이한 사유가 있어 결정하는 것이 불가능한 경우에는 그 사유를 상속인·수유자 또는 수증자에게 알려야 하며, 그 중에서도 결정된 상속재산가액이 30억 원 이상인 경우로서 상속개시 후 5년 이내에 상속인이 보유한 부동산, 주식 등의 주요 재산의 가액이 상속개시 당시에 비하여 크게 증가한 경우에는 당초 결정한 과세표준과 세액에 탈루 또는 오류가 있는지를 조사하게 되어 있습니다.

만약 상속인이 외국에 거주를 하고 있어서 조사가 불가능한 경우가 발생할 수도 있습니다. 납세자가 상속세 및 증여세 등의 부과처분을 위해서 실지조사를 받는 경우에 있어서, 상속인이 국외에 거주하고 있는 등 한국어로 의사를 표현하는 것이 불충한 경우 등의 이유로 인해 입회조사가 불가능한 경우에는, 국세기본법 등에 의해 세무사, 변호사, 공인회계사 등이 대신해서 조사에 입회 후 의견을 진술하는 것이 가능합니다. 이 경우에 그 대리인은 그 권한이 있음을 증명하는 "위임장"을 세무서에 제출하지 않으면 안됩니다. 특히 세무조사의 경우에는 불필요한 언행 및 행동을 삼가해야 할 경우가 발생하게 됩니다. 반드시 전문가와 함께 상의 후 조사입회 등을 진행하는 것이 향후 발생하게 될 불이익을 방지할 수 있을 것입니다.

상속세 과세표준 신고기한

- 피상속인이 국내에 주소를 둔 경우: 상속개시일이 속하는 달의 말일부터 6개월 이내
- 피상속인이 외국에 주소를 둔 경우, 상속인 전원이 외국에 주소를 둔 경우: 상속개시일이 속하는 달의 말일부터 9개월 이내

[관련 법령]

신고부과세목과 정부부과세목

국세기본법 제22조(납세의무의 확정)

① 국세는 이 법 및 세법이 정하는 절차에 따라 그 세액이 확정된다.

② 다음 각호의 국세는 납세의무자가 과세표준과 세액을 정부에 신고했을 때에 확정된다. 다만, 납세의무자가 과세표준과 세액의 신고를 하지 아니하거나 신고한 과세표준과 세액이 세법이 정하는 바에 맞지 아니한 경우에는 정부가 과세표준과 세액을 결정하거나 경정하는 때에 그 결정 또는 경정에 따라 확정된다.

- 소득세
- 법인세
- 부가가치세
- 개별소비세
- 주세
- 증권거래세
- 교육세
- 교통 · 에너지 · 환경세
- 종합부동산세(납세의무자가 「종합부동산세법」 제16조 제3항에 따라

과세표준과 세액을 정부에 신고하는 경우에 한정한다)
③ 제2항 각호 외의 국세는 해당 국세의 과세표준과 세액을 정부가 결정하는 때에 확정된다.
④ 다음 각호의 국세는 제1항부터 제3항까지의 규정에도 불구하고 납세의무가 성립하는 때에 특별한 절차 없이 그 세액이 확정된다.
- 인지세
- 원천징수하는 소득세 또는 법인세
- 납세조합이 징수하는 소득세
- 중간예납하는 법인세(세법에 따라 정부가 조사 · 결정하는 경우는 제외한다)

국세청 신고만 하면 끝나는 거 아니야?

나국제 씨는 어머님이 최근 돌아가셨습니다. 어머님은 일본에서 크게 사업을 하시고 돈을 버셔서 한국뿐만 아니라 일본에도 부동산을 갖고 계십니다. 그래서 한국 거주자인 나국제 씨는 일본의 부동산과 한국의 부동산 전부를 상속받았습니다. 일본에서의 부동산 및 일본 사업체와 일본 예금 등에 대한 상속수속 절차도 마치고, 일본에서의 상속세 신고도 마쳤습니다.

어머님이 한국 거주자였기 때문에 일본에서의 상속재산에 한국의 상속재산까지 합쳐서 한국에서 상속세 신고를 납부하여야 합니다. 한국에서 상속세 신고를 하려고 하니 일본에서 낸 상속세에 추가로 상당한 금액의 상속세를 추가로 납부해야 하는 상황입니다.

그래서 금액이 가장 큰 일본 부동산을 담보로 일본 은행에서 대출을 받아서 한국에 상속세 신고 및 납부를 하려고 합니다.

나국제 씨는 외화를 일본에서 송금받아 한국 국세청에 상속세 신고만 하면 다른 신고는 안 해도 되는 걸까요?

양국의 국세청에 상속세 신고 외에도 챙겨야 하는 신고가 많습니다. 상속세 신고를 할 때 피상속인의 소득세에 대한 신고는 물론 외환거래법상의 신고도 챙겨야 합니다. 한국의 거주자인 나국제 씨가 일본은행에서 외화를 차입하여 한국 국세청에 납부하는 경우, 일본은행에서 금전을 차입하는 경우 해외에서 차입한 부분에 대하여 금전대차거래계약에 대하여 한국은행에 신고하여야 합니다.

[법적 근거]

제7-4조(신고 등의 절차)

자본거래의 신고수리를 받고자 하거나 신고를 하고자 하는 자는 다음 각호의 1에서 정하는 신고(수리)서를 당해 자본거래의 신고(수리)기관에 제출하여야 한다. 또한, 신고내용을 변경하고자 하는 경우에는 변경사항 및 변경사유를 첨부하여 당해 신고(수리)기관에 제출하여야 한다. 〈재정경제부고시 제2005-25호, 2006. 1. 1. 개정〉

1. 예금, 신탁계약에 따른 채권의 발생 등에 관한 거래: 별지 제7-1호 서식
2. 금전의 대차계약에 따른 채권의 발생 등에 관한 거래: 별지 제7-2호 서식
3. 채무의 보증계약에 따른 채권의 발생 등에 관한 거래: 별지 제7-3호 서식
4. 대외지급수단, 채권 기타의 매매계약에 따른 채권의 발생 등에 관한 거래: 별지 제7-4호 서식
5. 증권의 발행 또는 모집: 별지 제7-5호 서식
6. 증권취득: 별지 제7-6호 서식
7. 파생상품거래: 별지 제7-7호 서식 〈기획재정부고시 제2009-2호, 2009. 2. 4. 개정〉
8. 담보계약에 따른 채권의 발생 등에 관한 거래: 별지 제7-8호 서식 〈기획재정부고시 제2009-2호, 2009. 2. 4. 개정〉
9. 임대차계약에 따른 채권의 발생 등에 관한 거래: 별지 제7-9호 서식 〈기획재정부고시 제2009-2호, 2009. 2. 4. 개정〉
10. 증권대차계약에 따른 채권의 발생 등에 관한 거래: 별지 제7-11호 서식 〈기획재정부고시 제2009-2호, 2009. 2. 4. 개정〉

〔별지 제7-2호 서식〕

금전의 대차계약 신고서

		처리기간

신고인	상호 및 대표자 성명	㊞
	주소(소재지)	(전화번호 :) (E-mail :)
	업종(직업)	
신고내역	차주	(□기관투자가 □일반법인 □개인 □기타( ))
	대주	(□기관투자가 □일반법인 □개인 □기타( ))
	통화 및 금액	□표시통화(①USD ②EUR ③JPY ④기타통화( )) □금 액( ) □외화(①미화 1천만달러 이하 ②미화 1천만달러 초과) □원화(①10억원 이하 ②10억원 초과)
	차입/대출일	
	적용금리	
	대차기간	
	사용용도	
	상환방법	
	거주자의 보증 또는 담보유무	□ 보증·담보 없음 □ 보증제공 □담보제공

외국환거래법 제18조의 규정에 의하여 위와 같이 신고합니다.

년 월 일

기획재정부장관(한국은행총재 또는 외국환은행의 장) 귀하

신고번호	
신고금액	
신고일자	
유효기간	
기타 참고사항	

신고기관 :

* 음영부분은 기재하지 마십시오. 210㎜×297㎜

<첨부서류> 1. 거래 사유서 2. 금전대차 계약서
3. 대주 및 차주의 실체확인서류(법인등기부등본, 사업자등록증, 주민등록등본 등)
4. 보증 또는 담보 제공시 해당 신고서
5. 기타 신고기관의 장이 필요하다고 인정하는 서류

〔별지 제7-3호 서식〕

<table>
<tr><td colspan="3">보 증 계 약 신 고 서</td><td>처리기간

</td></tr>
<tr><td rowspan="3">신
고
인</td><td>상호 및 대표자
성 명</td><td colspan="2">㉐</td></tr>
<tr><td>주 소(소재지)</td><td colspan="2">(전화번호 :)
(E-mail :)</td></tr>
<tr><td>업 종(직 업)</td><td colspan="2"></td></tr>
<tr><td rowspan="7">신
고
내
역</td><td>보 증 채 권 자</td><td colspan="2">(□거주자/□비거주자)</td></tr>
<tr><td>보 증 채 무 자</td><td colspan="2">(□거주자/□비거주자)</td></tr>
<tr><td>보 증 수 혜 자</td><td colspan="2">(□거주자/□비거주자)</td></tr>
<tr><td>보 증 금 액</td><td colspan="2"></td></tr>
<tr><td>보 증 기 간</td><td colspan="2"></td></tr>
<tr><td>보 증 용 도</td><td colspan="2">□ 주채무계열소속 30대 계열기업체의 단기외화차입에 대한 보증
□ 비거주자간 거래에 대한 보증
□ 역외금융회사의 거래 및 채무이행에 관한 직·간접적 보증
□ 기타( )</td></tr>
<tr><td>상 환 방 법</td><td colspan="2"></td></tr>
<tr><td colspan="4">외국환거래법 제18조의 규정에 의하여 위와 같이 신고합니다.
년 월 일
한국은행총재(외국환은행장) 귀하</td></tr>
<tr><td colspan="2" rowspan="6"></td><td>신 고 번 호</td><td></td></tr>
<tr><td>신 고 금 액</td><td></td></tr>
<tr><td>신 고 일 자</td><td></td></tr>
<tr><td>유 효 기 간</td><td></td></tr>
<tr><td>기타 참고사항</td><td></td></tr>
<tr><td colspan="2">신 고 기 관 :</td></tr>
</table>

* 음영부분은 기재하지 마십시오. 210㎜×297㎜

<첨부서류> 1. 보증 사유서 2. 보증관련 계약서
3. 신고인 및 거래관계인의 실체확인서류(법인등기부등본, 사업자등록증 등)
4. 보증채무 이행에 따른 구상채권 회수방안
5. 기타 신고기관의 장이 필요하다고 인정하는 서류

〔별지 제7-8호 서식〕

<table>
<tr><td colspan="2" rowspan="2">담보제공 신고서</td><td>처리기간</td></tr>
<tr><td></td></tr>
<tr><td rowspan="3">신고인</td><td>상호 및 대표자 성명</td><td>㊞</td></tr>
<tr><td>주 소(소재지)</td><td>(전화번호 :)
(E-mail :)</td></tr>
<tr><td>업 종(직 업)</td><td></td></tr>
<tr><td rowspan="9">신고내역</td><td>담보제공자</td><td>(□거주자/□비거주자)</td></tr>
<tr><td>담보취득자</td><td>(□거주자/□비거주자)</td></tr>
<tr><td>담보제공 수혜자</td><td>(□거주자/□비거주자)</td></tr>
<tr><td>담보물종류</td><td>□부동산 □동산 □증권 □예금(현금) □기타( )</td></tr>
<tr><td>담보소재지</td><td></td></tr>
<tr><td>수 량</td><td></td></tr>
<tr><td>담보가액</td><td></td></tr>
<tr><td>담보 제공기간</td><td></td></tr>
<tr><td>담보제공 용도</td><td>□ 주채무계열소속 30대 계열기업체의 단기외화차입에 대한 담보제공
□ 비거주자간 거래에 대한 담보제공
□ 역외금융회사의 거래 및 채무이행에 관한 직·간접적 담보제공
□ 기타( )</td></tr>
<tr><td colspan="3">외국환거래법 제18조의 규정에 의하여 위와 같이 신고합니다.
년 월 일
한국은행총재(외국환은행의 장) 귀하</td></tr>
<tr><td colspan="2" rowspan="6"></td><td>신고번호 | </td></tr>
<tr><td>신고금액 | </td></tr>
<tr><td>신고일자 | </td></tr>
<tr><td>유효기간 | </td></tr>
<tr><td>기타 참고사항 | </td></tr>
<tr><td>신고기관 :</td></tr>
</table>

* 음영부분은 기재하지 마십시오. 210㎜×297㎜

<첨부서류> 1. 담보제공 사유서 2. 담보제공 계약서
3. 신고인 및 거래관계인의 실체확인서류(법인등기부등본, 사업자등록증 등)
4. 담보물 입증서류
5. 기타 신고기관의 장이 필요하다고 인정하는 서류

PART V

양국의 부동산을 매각할 때… 잊지 말자

1. 일본에서 소득세 신고는 안 해도 될까?
2. 비거주자가 한국 부동산을 양도한 경우 양도소득세 신고절차는 어떻게 될까?
3. 나국제 씨는 상속받은 부동산매각대금을 가져가고 싶다
4. 나국제 씨는 통장에 있는 돈을 일본에 가져가고 싶다
5. 일본으로 이민을 간 나국제 씨
6. 국내로 돌아온 나국제 씨
7. 재일동포인 나국제 씨도 주택을 팔면 중과세 대상일까?
8. 나국제 씨는 일본에 주택 한 채, 서울에 주택 한 채
9. 나국제 씨는 국내에 있는 임야를 팔고자 한다
10. 비거주자에게도 주택감면이 적용될까?
11. 비거주자에게도 토지수용에 따른 감면이 적용될까?

일본에서 소득세 신고는 안 해도 될까?

나국제 씨는 일본 국적입니다만, 한국에 생활의 거점을 두고 10년 넘게 거주하고 있습니다. 아버지가 돌아가셔서 일본에 있는 아파트를 상속받았습니다만, 이후 일본에서 살 예정이 없고 물건의 관리에 관련되는 비용이나 고정 자산세의 지불 등의 문제도 있어서 아파트를 매각하려고 생각하고 있습니다.
매각시 한국에서 양도소득세 신고는 했습니다.

일본에서 소득세 신고는 안 해도 될까요?

일본 소득세법에 의해 일본 국내에 있는 부동산의 양도에 대해서는 일본에서 일본 거주자 여부 판단 및 그에 따른 소득세를 신고 및 납부하여야 합니다.

•••

일본 소득세법 제2조에서는 "거주자는 국내에 주소가 있거나 또는 현재까지 계속 일년 이상 거소가 있는 개인"으로 규정하고, 거주자 이외의 개인을 "비거주자"로 규정하고 있습니다. 이 경우 주소는 그 사람의 생활의 중심이 어디인가로 판정되고, 예를 들어 체류지가 2개국 이상인 경우에 그 주소가 어디인지 판정하기 위해서는 직무 내용과 계약 등을 바탕으로 주소를 확정하게 됩니다. 거소는 그 사람의 생활의 본거지는 아니지만, 그 사람이 현실적으로 거주하고 있는 장소라고 되어 있습니다.

그런 판정을 거쳐, 비거주자에 대한 소득세의 과세 범위를 "국내원천소득에 한한다."라고 규정하고 있습니다(소득세법 제5조 제2항, 제7조 제1항 제3호).

따라서, 비거주자의 요건에 해당하는지를 우선 판정할 필요가 있습니다.

비거주자라고 할 경우 비거주자가 일본 내 부동산을 매각한 경우는 그 부동산의 양수자는 비거주자에 매매 대금을 지급할 때 10.21%의 세율로 소득세 및 부흥 특별 소득세를 원천징수해야 한다고 되어 있습니다(소득세법 제212조, 제213조).

다만, 부동산의 양수자가 개인으로, 자기 또는 친족의 주거용으로 제공하기 위해 비거주자로부터 부동산을 구입한 경우로서 그 부동산의 매매 가격이 1억 엔 이하인 경우에는 원천징수를 하지 않아도 되도록 되어 있습니다. 매각한 것이 아파트이기 때문에, 이 요건에 해당하는지는 매수자의 확인이 필요합니다.

한일조세조약 제13조에서는 부동산 양도 대가에 있어서 부동산의 소재 국가에서도 과세할 수 있다고 규정하고 있습니다. 따라서, 일본의 국내 세법대로 과세를 하게 되므로 일본에서 확정 신고 시에 원천징수된 금액이 정산되게 됩니다.

일본에서 과세된 후 한국에서 한국 내 양도소득과 합산해서 신고를 합니다. 그때 일본에서 납부한 소득세액에 대해서는 외국납부세액공제라고 하는 방법으로 이중과세가 되지 않도록 정산됩니다.

[법적 근거]

일본 소득세법

제5조 제2항(납세의무자)
비거주자는 다음에 제시하는 경우에는 이 법률에 의해 소득세를 낼 의무가 있다.

제1호 제161조 제1항(국내원천소득)에서 규정하는 국내원천소득(다음 호에서 "국내원천소득"이라 한다)이 발생한 때(동호에 열거하는 경우를 제외한다)

제161조 제1항(국내원천소득)

이 편에서 "국내원천소득"이란 다음에 제시하는 것을 말한다.

제5호 국내에 있는 토지 혹은 토지 위에 존재하는 권리 또는 건물 및 그 부속 설비 혹은 구축물의 양도에 의한 대가(시행령으로 정하는 것은 제외한다)

제212조 제1항(원천징수 의무)

비거주자에 대해 국내에서 제161조 제1항 제4호부터 제16호까지(국내원천소득)의 국내원천소득(시행령으로 정하는 것을 제외한다)의 지급을 하는 자 또는 외국 법인에 대해 국내에서 동항 제4호 내지 제11호까지 혹은 제13호부터 제16호까지 열거하는 국내원천소득(제180조 제1항(항구적 시설을 가진 외국 법인이 받는 국내원천소득에 관한 과세 특례), 또는 제180조의 2, 제1항 또는 제2항(신탁 재산에 관련된 이자 등의 과세 특례)의 규정에 해당하는 것 및 시행령으로 정하는 것을 제외한다)의 지급을 하는 자는 그 지급하는 때 이 국내원천소득에 대해서 소득세를 징수하고 그 징수의 날이 속하는 달의 다음 달 10일까지 이를 국가에 납부해야 한다.

제213조 제1항(징수세액)

전조 제1항의 규정에 의하여 징수해야 할 소득세액는 다음 각호의 구분에 따라 해당 각호에 정하는 금액으로 한다.

제161조 제1항 제5호에 제시하는 국내원천소득 그 금액에 100분의 10의 세율을 곱해서 계산한 금액

일본 소득세법 시행령

제281조의 3(국내에 있는 토지 등의 양도로 인한 대가)
법 제161조 제1항 제5호(국내원천소득)에서 규정하는 시행령으로 정하는 대가는 토지 등(국내에 있는 토지 혹은 토지 위에 존재하는 권리 또는 건물 및 그 부속설비 혹은 구축물을 말한다. 이하 이 조에서 같다)의 양도에 의한 대가(그 금액이 1억 엔을 넘는 것은 제외한다)로, 해당 토지 등을 자기 또는 그 친족의 거주용으로 제공하기 위해 양도받은 개인이 지급하는 것으로 한다.

부흥재확법(동일본 대지진으로부터의 부흥을 위한 시책을 실시하기 위해 필요한 재원 확보에 관한 특별 조치법)

제28조(원천징수 의무 등)
① 소득세법 제4편 제1장에서 제6장까지 및 조세특별조치법 제3조의 3 제3항, 제6조 제2항(동조 제11항에서 준용하는 경우를 포함한다), 제8조의 3 제3항, 제9조의 2 제2항, 제9조의 3의 2 제2항, 제37조의 11의 4 제1항, 제37조의 14의 2 제8항, 제41조의 9 제3항, 제41조의 12 제3항, 제41조의 12의 2 제2항부터 제4항까지 및 제41조의 22 제1항의 규정에 의한 소득세를 징수하고 납부해야 할 자는 그 징수(2013년 1월 1일부터 2037년 12월 31일까지 징수해야 하는 것에 한한다)의 때, 부흥특별소득세를 함께 징수하고 해당 소득세의 법정 납부 기한(국세 통칙법 제2조 제8호에 규정하는 법정 납부 기한을 말한다. 제30조 제1항에서 같다)까지, 해당 부흥특별소득세를 해당 소득세와 함께 납부해야 한다.
② 전항의 규정에 의해 징수해야 할 부흥특별소득세의 액수는 동항에 규정하는 기타 소득세에 관한 법령의 규정에 의하여 징수하여 납부해야 할 소득세의 액수에 100분의 2.1의 세율을 곱하여 계산한 금액으로 한다.

비거주자가 한국 부동산을 양도한 경우 양도소득세 신고절차는 어떻게 될까?

재일동포인 나국제 씨는 한국 부동산을 양도하고 양도소득세를 어디에, 언제까지, 어떻게 신고 납부해야 하는지 궁금해 하고 있습니다.

마침 주변 지인 중에서 한국의 세법을 잘 알고 있는 이가 있어 절차에 대하여 문의를 해 보았지만, 내용이 복잡하여 잘 이해가 되지 않았습니다.

나국제 씨는 한국의 양도소득세 신고 및 납부를 잘 마칠 수 있을까요?

한국 세법상 비거주자의 양도소득세 납세지는 국내사업장(국내사업장이 2개 이상 있는 경우에는 주된 국내사업장)의 소재지이며, 국내사업장이 없는 경우에는 국내 원천소득이 발생하는 장소(양도자산의 소재지)입니다. 따라서 비거주자는 국내사업장 소재지 또는 국내 원천소득이 발생하는 장소를 관할하는 세무서장에게 양도소득세를 신고 · 납부하여야 합니다.

•••

양도소득세 신고는 예정신고와 확정신고로 나누어지며, 양도일이 속하는 달의 말일부터 2개월 이내에 납세지 관할 세무서장에게 예정신고 · 납부하여야 합니다. 당해 연도에 2회 이상 양도한 때에는 양도한 연도의 다음 연도 5월 31일까지 합산하여 확정신고 · 납부하여야 합니다.

비거주자가 개인이 아닌 법인에게 부동산을 양도하는 경우에는 양수자인 법인이 세법상 일정 금액을 원천징수하여 다음 달 10일까지 법인의 납세지 관할 세무서장에게 납부하여야 합니다. 이런 경우 비거주자는 '비거주자의 양도소득세에 대한 원천징수영수증'을 법인으로부터 교부받아 예정 또는 확정신고시 관할 세무서장에게 제출하여

원천징수세액을 기 납부세액으로 공제합니다.

양도소득 과세표준 예정 또는 확정신고를 하는 자는 **'양도소득 과세표준 예정(확정)신고 및 납부계산서'와 '양도소득금액계산명세서'에 증빙서류**(예: 토지대장 및 건축물대장등본, 토지 및 건물 등기부등본, 당해 자산의 매도 및 매입에 관한 계약서 사본 등)**를 첨부하여 신고기한 내에 납세지 관할 세무서장에게 제출하고, 금융기관**(국내 시중은행 또는 우체국)**에 세액을 납부**하여야 합니다.

[법적 근거]

소득세법 제105조(양도소득 과세표준 예정신고)

① 제94조 제1항 각호(같은 조 같은 항 제5호는 제외한다)에서 규정하는 자산을 양도한 거주자는 제92조 제2항에 따라 계산한 양도소득 과세표준을 다음 각호의 구분에 따른 기간에 대통령령으로 정하는 바에 따라 납세지 관할 세무서장에게 신고하여야 한다. 〈개정 2014. 12. 23.〉

1. 제94조 제1항 제1호·제2호 및 제4호에 따른 자산을 양도한 경우에는 그 양도일이 속하는 달의 말일부터 2개월. 다만, 「부동산 거래신고 등에 관한 법률」 제10조 제1항에 따른 토지거래계약에 관한 허가구역에 있는 토지를 양도할 때 토지거래계약허가를 받기 전에 대금을 청산한 경우에는 그 허가일(토지거래계약허가를 받기 전에 허가구역의 지정이 해제된 경우에는 그 해제일을 말한다)이 속하는 달의 말일부터 2개월로 한다. 〈단서개정 2017. 12. 19.〉
2. 제94조 제1항 제3호 각목에 따른 자산을 양도한 경우에는 그 양도일이 속하는 반기(半期)의 말일부터 2개월 〈개정 2016. 12. 20.〉
3. 제1호 및 제2호에도 불구하고 제88조 제1호 각목 외의 부분 후단에 따른 부담부증여의 채무액에 해당하는 부분으로서 양도로 보

는 경우에는 그 양도일이 속하는 달의 말일부터 3개월
〈신설 2016. 12. 20.〉
② 제1항에 따른 양도소득 과세표준의 신고를 예정신고라 한다.
〈개정 2009. 12. 31.〉
③ 제1항은 양도차익이 없거나 양도차손이 발생한 경우에도 적용한다.
〈개정 2009. 12. 31.〉

소득세법 제110조(양도소득 과세표준 확정신고)

① 해당 과세기간의 양도소득금액이 있는 거주자는 그 양도소득 과세표준을 그 과세기간의 다음 연도 5월 1일부터 5월 31일까지[제105조 제1항 제1호 단서에 해당하는 경우에는 토지거래계약에 관한 허가일(토지거래계약허가를 받기 전에 허가구역의 지정이 해제된 경우에는 그 해제일을 말한다)이 속하는 과세기간의 다음 연도 5월 1일부터 5월 31일까지] 대통령령으로 정하는 바에 따라 납세지 관할 세무서장에게 신고하여야 한다. 〈개정 2017. 12. 19.〉
② 제1항은 해당 과세기간의 과세표준이 없거나 결손금액이 있는 경우에도 적용한다. 〈개정 2009. 12. 31.〉
③ 제1항에 따른 양도소득 과세표준의 신고를 확정신고라 한다.
〈개정 2009. 12. 31.〉
④ 예정신고를 한 자는 제1항에도 불구하고 해당 소득에 대한 확정신고를 하지 아니할 수 있다. 다만, 해당 과세기간에 누진세율 적용대상 자산에 대한 예정신고를 2회 이상 하는 경우 등으로서 대통령령으로 정하는 경우에는 그러하지 아니하다. 〈개정 2009. 12. 31.〉
⑤ 확정신고를 하는 경우 그 신고서에 양도소득금액 계산의 기초가 된 양도가액과 필요경비 계산에 필요한 서류로서 대통령령으로 정하는 것을 납세지 관할 세무서장에게 제출하여야 한다. 〈개정 2009. 12. 31.〉
⑥ 납세지 관할 세무서장은 제5항에 따라 제출된 신고서나 그 밖의 서류에 미비한 사항 또는 오류가 있는 경우에는 그 보정을 요구할 수 있다. 〈개정 2009. 12. 31.〉

나국제 씨의 경우 국내사업장이 없는 경우는 일반적으로 양도자산의 소재지 관할 세무서에 양도일(2019. 10. 20.)이 속하는 달의 말일부터 2개월 이내(2019. 12. 31.)에 양도소득세 신고 및 납부를 하면 됩니다.

나국제 씨는 상속받은 부동산매각대금을 가져가고 싶다

나국제 씨는 아버지가 돌아가셔서 한국에 있는 아파트를 상속받고 2년 전에 팔았습니다. 나국제 씨는 한국 국적이기는 하나 일본에서 태어난 재일동포입니다. 일본에서 계속 살아야 하기 때문에 아버지에게서 물려받은 아파트를 판 양도대금을 일본으로 송금하려고 합니다. 은행에서는 송금하려면 몇 가지 복잡한 서류를 가져와야 한다고 합니다. 한국의 외국환관리법은 매우 복잡하고 까다로워서 재일동포 등이 업무를 처리하기가 쉽지 않습니다. 잘 모르고 진행했다가는 위법이 될 수도 있습니다.

나국제 씨는 부동산 매각대금을 잘 가져갈 수 있을까요?

재외동포 등은 한국 내 재산의 해외반출 시 관할 세무서장이 발급하는 서류 등을 은행에 제출해야 합니다. 이는 재외동포 등이 해외송금에 대한 자금출처확인업무를 수행함으로 인하여 세부담 없는 국부유출을 검증하고자 하는 것입니다. 따라서 이에 대한 자료를 준비해야 합니다.

•••

재외동포가 부동산매각자금을 반출하고자 하는 경우에는 거래외국환은행을 지정하여야 하며, 지정 서식에 의한 부동산 소재지 또는 신청자의 최종 주소지 관할 세무서장이 발행한 부동산매각자금확인서를 지정거래외국환은행의 장에게 제출하여야 합니다. 이 경우 확인서 신청일 현재 부동산 처분일로부터 5년이 경과하지 아니한 부동산 처분대금에 한합니다.

[법적 근거]

외국환거래규정 제4-7조
① 재외동포가 본인 명의로 보유하고 있는 다음 각호의 1에 해당하는 국내 재산(재외동포 자격 취득 후 형성된 재산을 포함한다)을 국외로 반출하고자 하는 경우에는 거래외국환은행을 지정하여야 한다. 〈재정

경제부고시 제2007-62호, 2007. 12. 17. 개정〉

1. 부동산 처분대금(부동산을 매각하여 금융자산으로 보유하고 있는 경우를 포함한다)

② 재외동포가 제1항 각호의 자금을 반출하고자 하는 경우에는 거래외국환은행을 지정하여야 하며, 다음 각호의 1에 해당하는 취득경위 입증서류를 지정거래외국환은행의 장에게 제출하여야 한다. 〈기획재정부고시 제2013-21호, 2013. 12. 19. 개정〉

1. 부동산처분대금의 경우 별지 제4-2호 서식에 의한 부동산 소재지 또는 신청자의 최종 주소지 관할 세무서장이 발행한 부동산매각자금확인서. 다만, 확인서 신청일 현재 부동산 처분일로부터 5년이 경과하지 아니한 부동산 처분대금에 한함.
〈기획재정부고시 제2012-5호, 2012. 4. 16. 개정〉

외국환거래규정 제4-7조 제1항 제1호에 규정된 재외동포의 국내재산을 반출하기 위한 부동산매각자금확인서는 매각한 부동산 소재지 또는 신청자의 최종 주소지를 관할하는 세무서장(부동산이 둘 이상으로 이를 관할하는 세무서가 다른 경우에는 신청서를 접수한 세무서장을 말한다)이 다음의 내용을 확인한 후 접수일로부터 20일 이내에 전산으로 발급하여야 합니다. 다만, 서면으로 부동산 매각자금을 확인할 수 없는 경우에는 실지조사 후 발급할 수 있습니다(상증세 사무처리규정 48).

① 해당 부동산에 대한 양도소득세, 상속세 및 증여세 등의 신고 납부 여부

② 국세의 체납 여부

③ 재산반출 금액의 적정 여부

④ 국세징수법 제14조 제1항 각호의 납기 전 징수 사유 해당 여부

부동산매각자금확인서를 발급 신청시는 부동산 등기부등본, 매매계약서 및 관련 금융자료 등을 제출합니다.

양도가액은 실지거래가액으로 계산하고, 실제 반출 가능한 금액(확인 금액)은 양도가액에서 해당 부동산의 채무액(전세보증금, 임차보증금 등을 포함한다) 및 양도와 관련된 제세공과금(양도소득세, 지방소득세 등을 포함한다), 양도비 등을 공제한 금액으로 합니다.

재외동포가 국내에서 상속받은 재산 등을 매각하고 해외로 양도대금을 송금하려 할 때에는 해당 세무서를 통해 부동산매각자금확인서를 발급받아 지정거래외국환은행에 제출하여야 합니다. 따라서 전문가를 통해 내용을 확인하고 준비해서 문제가 발생하지 않도록 해야 합니다.

【상속세 및 증여세 사무처리규정 별지 제7호 서식】(2017. 05.01 개정)

발급번호	부동산 매각자금 확인서				처리기간 10일 (필요시 30일)
신청인	성 명		생년월일 (외국인등록번호)		국적 또는 영주권취득일
	국내거소			(연락처)	
부 동 산 매 각 자 금 내 역					
부동산	소 재 지				
	지 목		면 적(㎡)		
	양도일자		양도가액(원)		
	확인금액(원)				
양수인	성 명		생년월일		
	주 소				

외국환거래규정 및 관련 지침 등에 의해 국내보유 부동산을 매각한 자금이 위와 같이 확인됨을 증명하여 주시기 바랍니다.

년 월 일

신청인 :

대리인 :

신청인과의 관계 :

대리인 생년월일 :

세무서장 귀하

위와 같이 확인함

년 월 일

세무서장 (인)

붙임서류 1. 양도소득세 신고서 및 납부서

2. 양도 당시 실지거래가액을 확인할 수 있는 서류(매매계약서 및 관련 금융자료 등)

☞ 작성요령

1. "국내거소"란에는 국내체류지 및 연락 전화번호를 기재
2. "지목"란에는 부동산의 종류(대지,전답,아파트 등)을 기재하고 부동산소재지별로 작성한다.
3. "양도가액"란에는 세무서에 신고된 부동산 매각당시의 가액을 기재
   다만, 기준시가에 의한 양도소득세 신고의 경우 또는 양도소득세 비과세에 해당하는 경우 매매계약서 및 관련 금융자료 등 제출된 증빙서류에 의하여 객관적으로 부동산매각대금이 확인된 경우에는 그 가액을 기재
4. "확인금액"란에는 양도가액에서 해당 부동산의 채무액(전세보증금, 임차보증금 등)을 공제한 가액을 기재
5. 토지수용 등의 경우 사업시행소관부처장의 확인서를 첨부

※ 개인정보보호법 제24조에 의한 수집·이용 동의 [신청인(본인)]

○ 수집·이용목적(확인서발급, 사후관리 등)

○ 수집대상 고유식별정보 (주민등록번호, 외국인등록번호, 여권번호)

○ 보유·이용기간(5년)

☞ **상기내용에 대해 동의함 □ 동의하지 않음 □**

○ 동의를 거부할 권리가 있으며, 동의 거부에 따라 불이익(**확인서 미발급 등**)이 있을 수 있음

나국제 씨는 통장에 있는 돈을 일본에 가져가고 싶다

나국제 씨는 예전에 상속받았던 한국에 있는 아파트를 7년 전에 팔았습니다. 재일동포인 나국제 씨는 7년 전에 아파트를 팔고 받은 돈과 매각대금과 주식투자로 운용해서 번 돈을 일본에 가져가서 생활비로 쓰려고 합니다. 합치면 10억 원이 넘습니다. 은행에서 송금하려고 하니 한국어도 서툰데 어려운 서류 이야기를 합니다. 송금절차도 까다롭고 외국환관리법도 조심스럽습니다.

한국의 외국환관리법은 매우 복잡하고 까다로워서 재일동포 등이 업무를 처리하기가 쉽지 않습니다. 잘 모르고 진행했다가는 위법이 될 수도 있습니다.

나국제 씨는 통장에 있는 예금을 잘 가져갈 수 있을까요?

재외동포 등은 상속받은 국내원화예금 등의 한국 내 재산의 국외반출 시 연간 누계금액이 10만 불을 초과하여 외화를 반출하는 경우 지정거래외국환은행의 주소지 또는 신청자의 최종 주소지 관할 세무서장이 발행한 전체 금액에 대한 자금출처 확인서를 지정거래외국환은행에 제출해야 합니다. 따라서 이에 대한 자료를 준비해야 합니다.

•••

재외동포가 부동산매각자금을 반출하고자 하는 경우에는 거래외국환은행을 지정하여야 하며, 지정 서식에 의한 부동산 소재지 또는 신청자의 최종 주소지 관할 세무서장이 발행한 부동산매각자금확인서를 지정거래외국환은행의 장에게 제출하여야 합니다. 이 경우 확인서 신청일 현재 부동산 처분일로부터 5년이 경과한 부동산의 경우는 부동산매각자금확인서가 아닌 예금 등 자금출처확인서를 제출해야 합니다.

[법적 근거]

외국환거래규정 제4-7조(재외동포의 국내재산 반출절차)

① 재외동포가 본인 명의로 보유하고 있는 다음 각호의 1에 해당하는 국내재산(재외동포 자격 취득 후 형성된 재산을 포함한다)을 국외로 반출하고자 하는 경우에는 거래외국환은행을 지정하여야 한다. 〈재정경제부고시 제2007-62호, 2007. 12. 17. 개정〉

2. 국내예금 · 신탁계정관련 원리금, 증권매각대금

② 재외동포가 제1항 각호의 자금을 반출하고자 하는 경우에는 거래외국환은행을 지정하여야 하며, 다음 각호의 1에 해당하는 취득경위 입증서류를 지정거래외국환은행의 장에게 제출하여야 한다. 〈기획재정부고시 제2013-21호, 2013. 12. 19. 개정〉

2. 제1항 제2호 내지 제4호의 지급누계금액이 미화 10만 불을 초과하는 경우 지정거래외국환은행의 주소지 또는 신청자의 최종 주소지 관할 세무서장이 발행한 전체 금액에 대한 자금출처확인서 등 〈기획재정부고시 제2012-5호, 2012. 4. 16. 개정〉

상증세 사무처리규정

제49조(예금 등에 대한 자금출처 확인서의 발급)

① 「외국환거래규정」 제4-7조 제1항 제2호부터 제4호까지 규정된 재외동포의 국내재산 반출을 위한 예금 등에 대한 자금출처 확인서(별지 제12호 서식)는 지정거래외국환은행 소재지 또는 신청자의 최종 주소지를 관할하는 세무서장(재산세과장)이 다음 각호의 내용을 확인하고 국세징수 · 예금 압류 등 조세채권확보에 필요한 조치 후 접수일부터 10일 이내에 전산으로 발급하여야 한다. 다만, 서면으로 자금출처를 확인할 수 없는 경우에는 실지조사 후 발급할 수 있으며, 이 경우 1회에 한하여 발급기한을 20일 이내에서 연장할 수 있다.

1. 「예금 등에 대한 자금출처 확인서」에 기재된 내용의 자금출처와 관련된 국세의 신고 · 납부 여부
2. 국세의 체납 여부

3. 재산반출 금액의 적정 여부
4. 국세징수법 제14조 제1항 각호의 납기 전 징수 사유 해당 여부
② 다음 각호의 지급누계 금액(2006. 1. 1. 이후 지급분부터 적용)이 미화 10만 달러를 초과하는 경우에는 전체금액에 대하여 자금출처 확인서를 발급하여야 한다.
1. 국내예금 · 신탁계정관련 원리금, 증권매각대금

기본적으로 자금출처에 대한 세무조사의 측면이 강하며, 한국 과세관청 내부적으로도 조사로 분류하여 진행하고 있으므로 철저한 준비가 요구됩니다.

국내원화예금, 신탁계정관련 원리금을 국외 반출시 연간 누계금액이 미화 10만 불을 초과하는 경우 지정거래외국환은행의 주소지 또는 신청자의 최종 주소지 관할 세무서장이 발행한 전체금액에 대한 자금출처확인서 등을 제출해야 하므로, 이미 송금한 금액이 있다면 전의 것을 포함한 전체 금액에 대하여 자료를 준비해야 합니다.

재외동포가 국내에서 상속받은 재산을 5년 이상 이전에 매각하고 다른 자금과 함께 예금 등을 송금하려 할 때에는 해당 세무서를 통해 예금 등 자금출처확인서를 발행받아서 지정거래외국환은행에 제출하여야 합니다. 이 경우 세무조사에 준하는 절차를 통해서 발급이 될 수 있으므로 불필요한 불이익을 당하지 않기 위해서 전문가를 통해 내용을 확인하고 준비해서 진행하는 것이 합리적이라고 판단됩니다.

[상속세 및 증여세 사무처리규정 별지 제12호 서식(갑)] (2019.06.03 개정)

발급번호	예금 등에 대한 자금출처 확인서(갑)			수수료 없음
				처리기간 10일 (필요시 30일)
신 청 자	성 명		생년월일 또는 외국인등록번호	
	주소 또는 거소			
제출처			이민일자	
확인서의 사용목적		여권번호	전화번호	
		해외이주허가번호 및 일자 No.	(. . .)	
확인금액	원(미화 $) [년 월 일 확인서 발급금액 원 포함]			

자 금 출 처 내 역

자 금 출 처	금 액	자 금 원 천	비 고
계			
예금 · 적금			
신 탁 계 정			
원 화 대 출 금			
임 대 보 증 금			
기 타			

외국환거래규정 제4-7조의 규정에 따라 위 확인서 발급되는 날 현재 자금출처가 위와 같이 확인됨을 증명하여 주시기 바랍니다.

. . .

신 청 인 : ㊞

세무서장 귀하

위와 같이 확인합니다.

. . .

세 무 서 장 ㊞

※ 붙임서류 : 1. 예금 등 재산반출 명세서
2. 예금적금 및 신탁계정은 통장 사본을 붙이고 동 예금적금의 입금과 관련한 자금원천이 확인되는 서류
3. 대출금의 경우 대출금 통장 사본 및 대출관련 서류
4. 임대보증금의 경우 임대차계약서 사본
5. 대리인의 경우 위임장

※ 유의사항 : - 비고란에는 자금의 원천을 간단하게 기재합니다.
- 확인금액은 국외 반출되는 전체 누계금액이 미화 10만 달러을 초과하는 경우 초과하는 금액을 포함한 전체 누계금액으로 표기합니다.

※ 원화대출금·임대보증금 : 본인명의 예금 또는 부동산을 담보로 하여 외국환은행으로부터 취득한 원화대출금 및 본인명의 부동산의 임대보증금을 말합니다

※ 개인정보보호법 제24조에 의한 수집·이용 동의 [신청인(본인)]

○ 수집·이용목적(확인서발급, 사후관리 등)

○ 수집대상 고유식별정보 (주민등록번호, 외국인등록번호, 여권번호)

○ 보유·이용기간(5년)

☛ 상기내용에 대해 동의함 □, 동의하지 않음 □

○ 동의를 거부할 권리가 있으며, 동의 거부에 따라 불이익(**확인서 미발급 등**)이 있을 수 있음

일본으로 이민을 간 나국제 씨

나국제 씨는 아이들의 높은 교육비, 천정부지로 오르는 물가와 집값 그리고 직장생활의 불확실성으로 일본으로 해외이민을 떠났습니다. 이민을 가기 전에 국내에 거주하였던 아파트는 부동산 중개소에 매도의뢰를 해 놓았습니다.

하지만, 부동산 거래가 줄어 좀처럼 매수자가 나타나지 않고 있어 1년 넘게 해당 아파트를 팔지 못하고 있습니다. 이민을 가기 전에 1세대1주택자는 이민으로 아파트를 파는 경우 양도소득세를 비과세 받을 수 있다고 하여 큰 걱정은 하지 않았으나, 주변에서 오랫동안 팔지 않으면 비과세를 받지 못할 수도 있다는 말에 불안해 하고 있습니다.

나국제 씨는 아파트 양도시 비과세를 받을 수 있을까요?

1세대1주택에 대한 양도소득세 비과세 규정은 원칙적으로 양도자가 양도일 현재 소득세법상 거주자인 경우에 한정하여 적용됩니다.

•••

다만, 1세대가 출국일 및 양도일 현재 1주택만을 보유한 경우로서 해외이주법에 의한 해외이주로 세대전원이 출국한 후 **출국일**(현지 이주의 경우는 영주권 또는 그에 준하는 장기체류 자격을 취득한 날)**부터 2년 이내에 당해 1주택을 양도하는 경우에는 비록 양도일 현재 비거주자일지라도 보유기간**(2년 이상 보유, 2012. 6. 28. 이전 양도시에는 3년)**의 제한을 받지 아니하고 양도소득세가 비과세**(양도가액 9억 원 이하에 상당하는 양도차익에 한정됨)**됩니다.**

그러나 출국한 후 2년이 경과된 뒤에 주택을 양도하는 경우에는 출국일 현재 이미 1세대1주택 비과세 요건을 충족한 경우일지라도 비과세 특례규정이 적용되지 아니합니다.

[법적 근거]

소득세법 시행령 제154조(1세대1주택의 범위)
① 법 제89조 제1항 제3호 가목에서 "대통령령으로 정하는 요건"이란

1세대가 양도일 현재 국내에 1주택을 보유하고 있는 경우로서 해당 주택의 보유기간이 2년(제8항 제2호에 해당하는 거주자의 주택인 경우는 3년) 이상인 것[취득 당시에 「주택법」 제63조의 2 제1항 제1호에 따른 조정대상지역(이하 "조정대상지역"이라 한다)에 있는 주택의 경우에는 해당 주택의 보유기간이 2년(제8항 제2호에 해당하는 거주자의 주택인 경우에는 3년) 이상이고 그 보유기간 중 거주기간이 2년 이상인 것]을 말한다. 다만, 1세대가 양도일 현재 국내에 1주택을 보유하고 있는 경우로서 제1호부터 제3호까지의 어느 하나에 해당하는 경우에는 그 보유기간 및 거주기간의 제한을 받지 아니하며 제4호 및 제5호에 해당하는 경우에는 거주기간의 제한을 받지 아니한다. 〈개정 2018. 10. 23.〉

2. 다음 각목의 어느 하나에 해당하는 경우. 이 경우 가목에 있어서는 그 양도일 또는 수용일부터 5년 이내에 양도하는 그 잔존주택 및 그 부수토지를 포함하는 것으로 한다. 〈개정 2013. 2. 15.〉
   나. 「해외이주법」에 따른 해외이주로 세대전원이 출국하는 경우. 다만, 출국일 현재 1주택을 보유하고 있는 경우로서 출국일부터 2년 이내에 양도하는 경우에 한한다. 〈개정 2008. 2. 22.〉

나국제 씨의 경우는 출국일로부터 2년 이내에 국내에 있는 아파트를 양도하여야만 비과세를 적용받을 수 있습니다. 여기서 '출국일'이란 다음과 같습니다.

소득세법 집행기준 89-154-43 [해외이주법에 따른 이주시 출국일]

구 분	해외이주법에 따른 이주시 출국일
연고, 무연고 이주	전세대원이 출국한 날
현지 이주	영주권 또는 그에 준하는 장기체류 자격을 취득한 날 (2009. 4. 14. 이후 양도분부터 적용)

국내로 돌아온 나국제 씨

일본으로 이민을 간 나국제 씨는 이민 가기 전에 팔지 않고 남겨두었던 아파트가 최근 많이 올라서 20억 원 정도라는 말에 팔려고 알아보는 중입니다. 그런데 나국제 씨는 비거주자라서 양도소득세가 많이 나온다는 말에 고민하고 있습니다. 주변에 문의해 보니 종전에는 비거주자가 거주자가 되려면 1년 이상을 국내에 거주하여야 거주자로 인정받았지만, 지금은 183일만 거주해도 거주자로 인정받아 9억 원까지는 비과세를 적용받아 양도소득세를 대폭 절세할 수 있다는 이야기를 들었습니다.

나국제 씨는 국내에 일시 귀국하여 183일 정도를 친구집에 거주하여 양도소득세를 절감할 계획으로 국내에 들어올 생각입니다.

과연, 나국제 씨는 양도소득세를 대폭 절세할 수 있을까요?

세법상 거주자인지의 판단은 거주기간 · 직업 · 국내에서 생계를 같이하는 가족 및 국내 소재 자산의 유무 등 생활관계의 객관적 사실에 따라 판단하는 것으로서, 계속하여 183일 이상 국내에 거주할 것을 통상 필요로 하는 직업을 가지고 있거나 국내에 생계를 같이하는 가족이 있고, 그 직업 및 자산상태에 비추어 계속하여 183일 이상 국내에 거주할 것으로 인정되는 때에 거주자로 보고 있습니다.

국세청은 1세대1주택 비과세 규정을 적용함에 있어 거주자가 국외로 출국하여 국외에 거주하다가 국내에 입국하는 경우로서 그 직업 및 자산상태에 비추어 국내에 다시 입국하여 주로 국내에 거주하리라고 인정되지 아니하는 경우에는 국내에 자산을 보유하고 있다 하더라도 비거주자로 보는 것으로 해석하고 있습니다(부동산-163, 2012. 3. 20.).

[법적 근거]

소득세법 제1조의 2(정의)

① 이 법에서 사용하는 용어의 뜻은 다음과 같다. 〈개정 2010. 12. 27., 2014. 12. 23.〉

1. 거주자란 국내에 주소를 두거나 183일 이상의 거소(居所)를 둔 개인을 말한다.

2. 비거주자란 거주자가 아닌 개인을 말한다.

3.~5. 생략

② 제1항에 따른 주소·거소와 거주자·비거주자의 구분은 대통령령으로 정한다.

소득세법 시행령 제2조(주소와 거소의 판정)

①「소득세법」(이하 법이라 한다) 제1조의 2에 따른 주소는 국내에서 생계를 같이하는 가족 및 국내에 소재하는 자산의 유무등 생활관계의 객관적 사실에 따라 판정한다. 〈개정 2010. 2. 18.〉

② 법 제1조의 2에 따른 거소는 주소지 외의 장소 중 상당기간에 걸쳐 거주하는 장소로서 주소와 같이 밀접한 일반적 생활관계가 형성되지 아니한 장소로 한다. 〈개정 2010. 2. 18.〉

③ 국내에 거주하는 개인이 다음 각호의 어느 하나에 해당하는 경우에는 국내에 주소를 가진 것으로 본다. 〈개정 2015. 2. 3.〉

1. 계속하여 183일 이상 국내에 거주할 것을 통상 필요로 하는 직업을 가진 때
2. 국내에 생계를 같이하는 가족이 있고, 그 직업 및 자산상태에 비추어 계속하여 183일 이상 국내에 거주할 것으로 인정되는 때

④ 국외에 거주 또는 근무하는 자가 외국국적을 가졌거나 외국법령에 의하여 그 외국의 영주권을 얻은 자로서 국내에 생계를 같이하는 가족이 없고 그 직업 및 자산상태에 비추어 다시 입국하여 주로 국내에 거주하리라고 인정되지 아니하는 때에는 국내에 주소가 없는 것으로 본다. 〈개정 2015. 2. 3.〉

1.~2. 삭제 〈2015. 2. 3.〉

⑤ 생략

소득세법 시행령 제2조의 2(거주자 또는 비거주자가 되는 시기)

① 비거주자가 거주자로 되는 시기는 다음 각호의 시기로 한다. 〈개정 2015. 2. 3.〉

1. 국내에 주소를 둔 날
2. 제2조 제3항 및 제5항에 따라 국내에 주소를 가지거나 국내에 주소가 있는 것으로 보는 사유가 발생한 날
3. 국내에 거소를 둔 기간이 183일이 되는 날

② 거주자가 비거주자로 되는 시기는 다음 각호의 시기로 한다.

1. 거주자가 주소 또는 거소의 국외 이전을 위하여 출국하는 날의 다음 날
2. 제2조 제4항 및 제5항에 따라 국내에 주소가 없거나 국외에 주소가 있는 것으로 보는 사유가 발생한 날의 다음 날

나국제 씨의 경우는 재산의 대부분이 일본에 있고 가족들도 대부분 일본에 있다면, 단순히 국내에 183일 이상 거소를 두었다고 하여 거주자로 볼 수는 없는 것입니다. 이러한 183일 기준은 거주자가 되기 위한 최소한의 기준이지, 거주자로 보는 절대적인 기준이 될 수는 없습니다.

이처럼 거주자와 비거주자 판단에 따른 비과세 여부는 실무적으로 간단하지 않은 부분으로 사전에 전문가와 충분히 상담 후 결정하는 것이 바람직합니다.

재일동포인 나국제 씨도 주택을 팔면 중과세 대상일까?

재일동포인 나국제 씨는 서울에 두 채의 주택을 소유하고 있습니다. 최근 부동산 가격의 급등으로 그중 한 채의 주택을 팔기 위해 한국에 입국하였습니다. 부동산중개사무실에 한 채를 내놓은지 얼마되지 않아 적당한 가격에 매수자가 나타나 기분좋게 계약을 하였습니다. 계약 후 양도소득세를 알아보기 위해 세무상담을 받고 나서 큰 충격을 받았습니다. 나국제 씨 본인은 재일동포인 비거주자이므로 주택 중과세 대상은 아니라고 생각했는데, 주택 중과세는 재일동포에게도 적용된다는 말을 들었습니다.

나국제 씨에게도 주택 중과세가 적용되는 것이 맞는 것일까요?

비거주자의 경우에도 1세대2주택, 1세대3주택 양도에 따른 중과세 규정은 거주자와 동일하게 적용됩니다. 비과세 규정이 거주자에게만 적용되는 것에 반해 중과세 규정은 거주자와 동일하게 적용됩니다.

•••

[법적 근거]

서면4팀-545, 2006. 3. 13.

【질의】

○ 저는 1941년생으로 93년에 미국 영주권을 취득하여 미국에 거주하고 있음.

○ 2005. 8. 31. 부동산 대책에 의하여 2006년부터는 양도소득세를 실지취득가액으로 계산하고 2007년부터는 60%의 중과세율을 적용한다는 말을 들었으나, 개인의 경우 20년 이상 보유하면서 2009년까지 양도하는 경우 제외된다는 사실을 알았음.

- 본인처럼 현재 비거주자인 경우에도 20년 전에 취득한 농지를 2009년 이전에 양도하는 경우 중과세율을 적용하지 않는지요?

【회신】

비거주자가 소득세법 제94조 제1항 각호(제3호 제외)에서 규정하는 국내에 있는 양도소득세 과세대상 자산을 양도함으로써 발생하는 양도소득에 대하여는 동법 제121조 제2항의 규정에 의하여 거주자와 동일한 방법으로 과세하는 것임.

나국제 씨의 경우는 국내에 2주택 중 한 개의 주택을 양도하는 경우이므로, 비거주자이지만 1세대2주택자로써 양도소득세 중과세율을 적용받게 됩니다.

중과세 규정은 비거주자에게도 거주자와 동일하게 적용되지만, 중과제외 규정도 거주자와 동일하게 적용되므로 해당 주택을 양도하기 전에 해당 주택이 중과배제 주택인지를 확인하는 것이 중요하다고 할 수 있습니다.

나국제 씨는 일본에 주택 한 채, 서울에 주택 한 채

재일동포인 나국제 씨는 일본에 주택 한 채, 서울에 주택 한 채를 가지고 있습니다. 서울에 있는 주택을 양도하기 전에 혹시나 서울 주택 양도에 따른 양도소득세가 중과가 될까 걱정하고 있습니다. 전에 서울에 있는 주택 두 채 중 1주택을 양도하였을 때 중과세가 적용되어서 양도차익의 절반에 가까운 세금을 납부한 기억이 있어서 이번에는 양도하기 전에 상담을 받고 진행하려고 합니다.

나국제 씨는 서울 주택 양도에 대하여 중과세가 적용될까요?

일본 주택은 중과세 대상 주택수에 산입하지 아니합니다. 현행 한국 세법에서는 한국 국내에 소재하는 주택만이 중과세 대상이기 때문입니다.

•••

한국 세법상 주택중과세 적용은 한국에 소재하는 주택을 2주택 이상 소유하는 경우에 적용되므로, 국외에 아무리 많은 주택을 소유하더라도 국내에 1주택만을 소유하고 있는 경우에는 중과적용을 하지 않습니다.

[법적 근거]

소득세법 시행령 제167조의 3(1세대3주택 이상에 해당하는 주택의 범위)
① 법 제104조 제7항 제3호에서 "대통령령으로 정하는 1세대3주택 이상에 해당하는 주택"이란 국내에 주택을 3개 이상(제1호에 해당하는 주택은 주택의 수를 계산할 때 산입하지 아니한다) 소유하고 있는 1세대가 소유하는 주택으로서 다음 각호의 어느 하나에 해당하지 아니하는 주택을 말한다. 〈개정 2018. 2. 13.〉

소득세법 시행령 제167조의 10
(양도소득세가 중과되는 1세대2주택에 해당하는 주택의 범위)
법 제104조 제7항 제1호에서 "대통령령으로 정하는 1세대2주택에 해당하는 주택"이란 국내에 주택을 2개(제1호에 해당하는 주택은 주택의 수를 계산할 때 산입하지 아니한다) 소유하고 있는 1세대가 소유하는 주택으로서 다음 각호의 어느 하나에 해당하지 아니하는 주택을 말한다. 〈신설 2018. 2. 13.〉

나국제 씨의 경우는 국내에 1개의 주택만을 소유하고 있는 경우이므로 주택중과를 적용하지 않습니다. 하지만, 혹시 국내에 주택입주권을 소유하고 있는 경우에는 주의하여야 합니다. 한국 세법상 주택입주권은 중과주택수에 포함되기 때문입니다.

나국제 씨는 국내에 있는 임야를 팔고자 한다

재일동포인 나국제 씨는 국내에 임야를 보유하고 있습니다. 특별히 사용하지 못하면서 매년 재산세만 내고 있는 상황입니다.

마침 국내에서 해당 임야를 사려는 사람이 나타나서 매매계약을 체결 전에 양도소득세에 대해 알아보니, 해당 임야는 비사업용토지여서 양도소득세 중과대상이라는 답변을 들었습니다.

나국제 씨는 임야 양도에 대하여 비사업용토지 중과세가 적용될까요?

세법상 비사업용토지라 함은 토지를 소유하는 기간 중에서 지목별로 토지를 사업에 사용하지 않은 토지를 말합니다. 이러한 비사업용토지의 양도소득세 중과는 투기수요를 억제하고, 투기로 인한 이익을 환수하여 부동산 시장의 안정과 과세형평을 도모하기 위하여 도입된 세법 제도입니다.

•••

비사업용토지 중과 적용은 거주자, 비거주자인지 여부와는 무관하게 적용되는 규정으로서 재일동포에게도 한국 거주자와 동일한 기준으로 적용됩니다.

[법적 근거]

소득세법 제119조(비거주자의 국내원천소득)

9. 국내원천 부동산등양도소득: 국내에 있는 다음 각목의 어느 하나에 해당하는 자산·권리를 양도함으로써 발행하는 소득 〈개정 2018. 12. 31.〉
   가. 제94조 제1항 제1호·제2호 및 같은 항 제4호 가목·나목에 따른 자산 또는 권리 〈신설 2008. 12. 26.〉
   나. 내국법인의 주식 또는 출자지분(주식·출자지분을 기초로 하여 발행한 예탁증서 및 신주인수권을 포함한다. 이하 이 장에서 같다) 중 양도일이 속하는 사업연도 개시일 현재 그 법인의 자

산총액 중 다음의 가액의 합계액이 100분의 50 이상인 법인의 주식 또는 출자지분(이하 이 조에서 "부동산주식등"이라 한다)으로서 증권시장에 상장되지 아니한 주식 또는 출자지분 〈개정 2015. 12. 15.〉

1) 제94조 제1항 제1호 및 제2호의 자산가액 〈신설 2015. 12. 15.〉

2) 내국법인이 보유한 다른 부동산 과다보유 법인의 주식가액에 그 다른 법인의 부동산 보유비율을 곱하여 산출한 가액. 이 경우 부동산 과다보유 법인의 판정 및 부동산 보유비율의 계산방법은 대통령령으로 정한다. 〈신설 2015. 12. 15.〉

소득세법 제121조(비거주자에 대한 과세방법)

② 국내사업장이 있는 비거주자와 제119조 제3호에 따른 국내원천 부동산소득이 있는 비거주자에 대해서는 제119조 제1호부터 제7호까지, 제8호의 2 및 제10호부터 제12호까지의 소득(제156조 제1항 및 제156조의 3부터 제156조의 6까지의 규정에 따라 원천징수되는 소득은 제외한다)을 종합하여 과세하고, 제119조 제8호에 따른 국내원천 퇴직소득 및 같은 조 제9호에 따른 국내원천 부동산등양도소득이 있는 비거주자에 대해서는 거주자와 같은 방법으로 분류하여 과세한다. 다만, 제119조 제9호에 따른 국내원천 부동산등양도소득이 있는 비거주자로서 대통령령으로 정하는 비거주자에게 과세할 경우에 제89조 제1항 제3호 및 제95조 제2항 표 외의 부분 단서는 적용하지 아니한다. 〈개정 2018. 12. 31.〉

나국제 씨의 경우는 국내 소재 임야 양도인 경우에는 비사업용토지로 보아 양도소득세가 중과되게 됩니다. 다만, 나국제 씨가 국내에 임야 소재지 또는 연접한 시 · 군 · 구에 거소 신고를 하고 3년 중 2년간 거주하였다면 사업용토지로 보아 일반세율로 양도소득세가 과세 됩니다.

서면4팀-1498, 2008. 6. 23.

【제목】

미국의 영주권을 소유한 비거주자가 국내에 임야를 소유한 경우로서 거소가 임야 소재지에 소재하고 있는 경우 거소를 둔 기간 동안은 사업용 임야로 봄.

【질의】

(사실 관계)

- 미국 영주권자로서 2006년부터 국내에 거소를 두고 있음.
- 수년 전 수도권에 임야를 취득하여 보유하고 있다가 거소를 당해 임야의 소재지에 두고 실제 거주하려는 경우

(질문 내용)

- 재외국민의 경우에도 비사업용 임야 여부를 판단함에 있어 임야 소재지 또는 연접한 시 · 군 · 구에 거소 신고를 하고 거소를 두는 경우 당해 기간을 사업용 임야로 보아 판단하는지 여부

(쟁점 사항)

- 소득세법 시행령 제168조의 9 제2항의 규정에 의한 비사업용 임야 여부를 판단함에 있어 "임야 소재지에 거주하는 자가 소유한 임야"라 함은 "임야의 소재지와 동일한 시 · 군 · 구(자치구인 구를 말한다. 이하 이 조에서 같다), 그와 연접한 시 · 군 · 구 또는 임야로부터 직선거리 20킬로미터 이내에 있는 지역에 주민등록이 되어 있고 사실상 거주하는 자가 소유하는 임야를 말함"에 비거주자가 국

내에 입국하여 거소 신고를 하고 거주하는 경우 적용하는 방법에 대하여 질의함.

【회신】

미국의 영주권을 소유한 비거주자가 국내에 임야를 소유한 경우로서, 임야의 소재지와 동일한 시 · 군 · 구(자치구인 구를 말함) 안의 지역에 거소 신고를 하고 사실상 거주하는 경우, 해당 임야는 「소득세법」 제104조의 3 제1항 제2호 나목 및 동법 시행령 제168조의 9 제2항의 규정을 적용받을 수 있음.

비거주자에게도 주택감면이 적용될까?

재일동포인 나국제 씨는 국내에 2013년 4월경에 국내 아파트를 5억 원에 취득하였습니다. 해당 아파트가 최근 많이 올라서 팔려고 알아보는 중입니다.

최근 시세를 알아보니 10억 원 정도에 거래된다는 말에 기분이 좋아졌습니다. 하지만 불현듯 양도소득세가 걱정되기 시작했습니다. 주변에 알아보니 2013년 취득 아파트는 양도소득세 감면을 받아서 세금부담이 그리 크지 않다는 말을 들었지만, 확실한 내용을 알지 못해서 불안해 하고 있습니다.

나국제 씨의 아파트 양도에 대하여 감면이 적용될 수 있을까요?

조세특례제한법상 감면은 원칙적으로는 거주자에게만 적용되지만, 일부 규정에 대해서는 비거주자에게도 적용되는 규정들이 있습니다.

•••

2013년 4월 1일~2013년 12월 31일 기간에 신축주택등 일정 요건을 충족한 주택을 매매로 취득하는 경우 취득 후 5년 이내에 양도하는 경우에는 양도소득세 100% 감면을, 5년 이후에 양도하는 경우에는 취득일로부터 5년간 발생한 양도소득금액을 해당 주택의 양도소득세 과세대상소득금액에서 공제하도록 하는 조세특례제한법상 규정이 있습니다.

여기서 신축주택등은 다음의 주택을 말합니다.

① 「주택법」에 따라 주택을 공급하는 사업주체가 공급하는 주택으로서 해당 사업주체가 입주자모집공고에 따른 입주자의 계약일이 지난 주택단지에서 2013년 3월 31일까지 분양계약이 체결되지 아니하여 2013년 4월 1일 이후 선착순의 방법으로 공급하는 주택
② 「주택법」에 따른 사업계획승인(「건축법」에 따른 건축허가를 포함)

을 받아 해당 사업계획과 「주택법」에 따라 사업주체가 공급하는 주택(입주자모집공고에 따른 입주자의 계약일이 2013년 4월 1일 이후 도래하는 주택으로 한정한다)

③ 주택건설사업자(30호 미만의 주택을 공급하는 자를 말한다)가 공급하는 주택(「주택법」에 따른 주택을 말한다)

④ 「주택도시기금법」에 따른 주택도시보증공사가 매입한 주택으로서 주택도시보증공사가 공급하는 주택

⑤ 주택의 시공자가 해당 주택의 공사대금으로 받은 주택으로서 해당 시공자가 공급하는 주택

⑥ 「법인세법 시행령」에 따른 기업구조조정부동산투자회사등이 취득한 주택으로서 해당 기업구조조정부동산투자회사등이 공급하는 주택

⑦ 「자본시장과 금융투자업에 관한 법률」에 따른 신탁업자가 「법인세법 시행령」에 따라 취득한 주택으로서 해당 신탁업자가 공급하는 주택

⑧ 자기가 건설한 주택으로서 2013년 4월 1일부터 2013년 12월 31일까지의 기간(과세특례 취득기간) 중에 사용승인 또는 사용검사(임시사용승인을 포함한다)를 받은 주택. 다만, 다음 각목의 주택은 제외한다.

㉠ 「도시 및 주거환경정비법」에 따른 재개발사업, 재건축사업 또는 「빈집 및 소규모주택 정비에 관한 특례법」에 따른 소규모주택정비사업을 시행하는 정비사업조합의 조합원이 해당 관리처분계획(소규모주택정비사업의 경우에는 사업시행계획을

말한다)에 따라 취득하는 주택

㉡ 거주하거나 보유하는 중에 소실 · 붕괴 · 노후 등으로 인하여 멸실되어 재건축한 주택

⑨ 「주택법 시행령」에 따른 오피스텔 중 「건축법」 제11조에 따른 건축허가를 받아 「건축물의 분양에 관한 법률」에 따라 분양사업자가 공급(분양 광고에 따른 입주예정일이 지나고 2013년 3월 31일까지 분양계약이 체결되지 아니하여 수의계약으로 공급하는 경우를 포함한다)하거나 「건축법」에 따른 건축물의 사용승인을 받아 공급하는 오피스텔

[법적 근거]

조세특례제한법 제99조의 2
(신축주택등 취득자에 대한 양도소득세의 과세특례)
거주자 또는 비거주자가 대통령령으로 정하는 신축주택, 미분양주택 또는 1세대1주택자의 주택으로서 취득가액이 6억 원 이하이거나 주택의 연면적(공동주택의 경우에는 전용면적)이 85제곱미터 이하인 주택을 2013년 4월 1일부터 2013년 12월 31일까지 「주택법」 제54조에 따라 주택을 공급하는 사업주체 등 대통령령으로 정하는 자와 최초로 매매계약을 체결하여 그 계약에 따라 취득(2013년 12월 31일까지 매매계약을 체결하고 계약금을 지급한 경우를 포함한다)한 경우에 해당 주택을 취득일부터 5년 이내에 양도함으로써 발생하는 양도소득에 대하여는 양도소득세의 100분의 100에 상당하는 세액을 감면하고, 취득일부터 5년이 지난 후에 양도하는 경우에는 해당 주택의 취득일부터 5년간 발생한 양도소득금액을 해당 주택의 양도소득세 과세대상소득금액에서 공제한다. 이 경우 공제하는 금액이 과세대상소득금액을 초과하는 경우 그 초과금액은 없는 것으로 한다. 〈개정 2016. 1. 19.〉

나국제 씨의 경우는 해당 아파트가 조세특례제한법 제99조의 2에 해당하는 감면대상 주택이라면 매매계약 당시에 아래의 서류를 교부받았을 것입니다. 이 서류를 양도소득세신고시 감면신청과 동시에 제출한다면 감면을 적용받을 수 있으며, 다른 주택이 있는 경우라도 중과대상에서 제외됩니다.

■ 조세특례제한법 시행규칙 [별지 제63호의14서식] <신설 2013.5.14>

신축주택등 또는 감면대상기존주택임을 확인하는 날인

제 호

[ ]「조세특례제한법 시행령」 제99조의2(신축주택 등 취득자에 대한 양도소득세 과세특례) 제1항 및 제2항에 따른 신축주택등(신축주택·미분양주택·신축오피스텔 및 미분양오피스텔)

[ ]「조세특례제한법 시행령」 제99조의2(신축주택 등 취득자에 대한 양도소득세 과세특례) 제3항 및 제5항에 따른 감면대상기존주택(1세대1주택자의 기존주택 및 1세대1오피스텔 소유자의 기존오피스텔)

임을 확인합니다.

년 월 일

시장·군수·구청장 직인

(담당자:)

(연락처:)

160㎜×60㎜[백상지 80g/㎡(재활용품)]

비거주자에게도 토지수용에 따른 감면이 적용될까?

재일동포인 나국제 씨는 오래전 국내에 상속받은 농지를 소유하고 있습니다. 농지를 소유하고 있으나, 국외에 있는 관계로 그냥 방치하고 있는 실정이었습니다.

최근 신도시 개발에 따라서 국가에서 해당 토지를 수용한다는 내용을 알게 되었습니다. 하지만 기쁨도 잠시, 수용의 경우 조세특례제한법상 감면 적용으로 양도소득세를 덜 내지만, 조세특례제한법상 감면은 일반적으로 거주자에게만 적용된다는 말에 낙심하고 있습니다.

나국제 씨는 토지 수용에 따른 감면을 적용받을 수 있을까요?

조세특례제한법상 감면은 거주자로 한정해서 적용하는 것이 일반적입니다. 하지만 감면 규정 중 일부에 대해서는 비거주자에게도 적용되는 규정들이 있습니다.

주택의 경우에는 몇 가지의 감면이 비거주자에게도 적용되지만, 토지의 경우에는 거의 유일하게 국가에 수용되는 경우에 거주자와 비거주자 모두에게 감면을 적용하고 있습니다.

당해 토지 등이 속한 사업지역에 대한 사업인정고시일(사업인정고시일 전에 양도하는 경우에는 양도일)부터 소급하여 2년 이전에 취득한 토지 등을 2021. 12. 31. 이전에 공익사업용으로 양도함으로써 발생하는 소득에 대하여는 양도소득세의 10~40%에 상당하는 세액을 감면합니다. 다만, 해당 감면을 적용받기 위해서는 해당 수용사업의 사업인정고시일 2년 이전에 취득한 토지이어야 합니다. 상속취득의 경우는 피상속인이 취득한 날을 기준으로 적용합니다.

[법적 근거]

조세특례제한법 제77조
(공익사업용토지 등에 대한 양도소득세의 감면)
① 다음 각호의 어느 하나에 해당하는 소득으로서 해당 토지등이 속한 사업지역에 대한 사업인정고시일(사업인정고시일 전에 양도하는 경우

에는 양도일)부터 소급하여 2년 이전에 취득한 토지등을 2021년 12월 31일 이전에 양도함으로써 발생하는 소득에 대해서는 양도소득세의 100분의 10[토지등의 양도대금을 대통령령으로 정하는 채권으로 받는 부분에 대해서는 100분의 15로 하되, 「공공주택 특별법」 등 대통령령으로 정하는 법률에 따라 협의매수 또는 수용됨으로써 발생하는 소득으로서 대통령령으로 정하는 방법으로 해당 채권을 3년 이상의 만기까지 보유하기로 특약을 체결하는 경우에는 100분의 30(만기가 5년 이상인 경우에는 100분의 40)]에 상당하는 세액을 감면한다.
〈개정 2018. 12. 24.〉

1. 「공익사업을 위한 토지 등의 취득 및 보상에 관한 법률」이 적용되는 공익사업에 필요한 토지등을 그 공익사업의 시행자에게 양도함으로써 발생하는 소득 〈개정 2010. 1. 1.〉
2. 「도시 및 주거환경정비법」에 따른 정비구역(정비기반시설을 수반하지 아니하는 정비구역은 제외한다)의 토지등을 같은 법에 따른 사업시행자에게 양도함으로써 발생하는 소득
〈개정 2010. 1. 1.〉
3. 「공익사업을 위한 토지 등의 취득 및 보상에 관한 법률」이나 그 밖의 법률에 따른 토지등의 수용으로 인하여 발생하는 소득
〈개정 2010. 1. 1.〉

서면4팀-1059(2007. 4. 2.)
비거주자가 소유하던 토지가 공공용지로 수용되는 경우 양도소득세 감면 여부
귀 질의 경우, 「조세특례제한법」 제77조(2006. 12. 30. 법률 제8146호로 개정되기 전)의 규정을 적용받을 수 있는 것입니다.

나국제 씨의 경우는 상속받은 토지이므로, 예를 들어 상속개시일이 2019. 11. 23.이고 사업인정고시일이 2019. 12. 2.이라면 취득일이 사업인정고시일로부터 2년 안에 취득하였지만, 피상속인의 취득일이 2017. 1. 5.이라면 사업인정고시일로부터 2년 이전에 취득한 토지로 보아 감면이 적용됩니다.

Reference

- 한국 상속세 신고서
- 일본 상속세 신고서
- 상속재산분할협의서
- 상속재산포기 심판청구서
- 상속한정승인 심판청구서
- 자필증서에 의한 유언증서
- 유류분반환청구 소장
- 상속 용어

참고

• 한국 상속세 신고서(1)

■ 상속세 및 증여세법 시행규칙 [별지 제9호서식] <개정 2019. 3. 20.>

관리번호	-

상속세과세표준신고 및 자진납부계산서

[ ]기한 내 신고, [ ]수정신고, [ ]기한 후 신고

※ 뒤쪽의 작성방법을 읽고 작성하시기 바랍니다. (앞쪽)

신고인	① 성 명		② 주민등록번호		③ 전자우편 주소	
	④ 주 소				⑤ 피상속인과의 관계	
	⑥ 전화번호	(자 택)		(휴대전화)	사후관리위반신고	
피상속인	⑦ 성 명		⑧ 주민등록번호		⑨ 거 주 구 분	[ ] 거주자 [ ] 비거주자
	⑩ 주 소					
	⑪ 상속원인	[ ] 사망 [ ] 실종 [ ] 인정사망 [ ] 기타			⑫ 상속개시일	
세무대리인	⑬ 성 명		⑭ 사업자등록번호		⑮ 관 리 번 호	
	⑯ 전화번호	(자 택)		(휴대전화)		

구 분	금 액	구 분	금 액
⑰ 상속세과세가액		영리법인 면제: 유증 등 재산가액	
⑱ 상속공제액		영리법인 면제: 면제세액(「상속세 및 증여세법」 제3조의2)	
⑲ 감정평가수수료		㉟ 면제분 납부세액(합계액)	
⑳ 과세표준(⑰ - ⑱ - ⑲)		㊱ 신고불성실가산세	
㉑ 세율		㊲ 납부불성실가산세	
㉒ 산출세액		㊳ 납부할 세액(합계액) (㉔ + ㉕ - ㉖ - ㉗ + ㉟ + ㊱ + ㊲)	
㉓ 세대생략가산액(「상속세 및 증여세법」 제27조)		납부방법	납부·신청 일자
㉔ 산출세액(㉒ + ㉓)		㊴ 연부연납	
㉕ 이자상당액		㊵ 물납	
㉖ 문화재 등 징수유예세액		현금: ㊶ 분납	
㉗ 계(㉘ + ㉛ + ㉜ + ㉝ + ㉞)		현금: ㊷ 신고납부	
㉘ 증여세액공제: 소계(㉙ + ㉚)			
㉘ 증여세액공제: ㉙ 「상속세 및 증여세법」 제28조			
㉘ 증여세액공제: ㉚ 「조세특례제한법」 제30조의5 및 제30조의6			
㉛ 외국납부세액공제(「상속세 및 증여세법」 제29조)			
㉜ 단기세액공제(「상속세 및 증여세법」 제30조)			
㉝ 신고세액공제(「상속세 및 증여세법」 제69조)			
㉞ 그 밖의 공제			

「상속세 및 증여세법」 제67조 및 같은 법 시행령 제64조 제1항에 따라 상속세의 과세가액 및 과세표준을 신고하며, 위 내용을 충분히 검토하였고 신고인이 알고 있는 사실을 그대로 적었음을 확인합니다.

년 월 일

신 고 인 (서명 또는 인)

세무대리인은 조세전문자격자로서 위 신고서를 성실하고 공정하게 작성하였음을 확인합니다.

세무대리인 (서명 또는 인)

세무서장 귀하

구분	내용	수수료
신청(신고)인 제출서류	1. 상속세과세가액계산명세서(부표 1) 1부 2. 상속인별 상속재산 및 평가명세서(부표 2) 1부 3. 채무·공과금·장례비용 및 상속공제명세서(부표 3) 1부 4. 상속개시 전 1(2)년 이내 재산처분·채무부담 내역 및 사용처소명명세서(부표 4) 1부 5. 영리법인 상속세 면제 및 납부 명세서(부표 5) 1부	수수료 없음
담당공무원 확인사항	1. 주민등록표등본 2. 피상속인 및 상속인의 관계를 알 수 있는 가족관계등록부	

행정정보 공동이용 동의서

본인은 이 건 업무처리와 관련하여 담당 공무원이 「전자정부법」 제36조제1항에 따른 행정정보의 공동이용을 통하여 위의 담당 공무원 확인 사항을 확인하는 것에 동의합니다. • 동의하지 않는 경우에는 신청인이 직접 관련 서류를 제출하여야 합니다.

신청인 (서명 또는 인)

210㎜×297㎜[백상지 80g/㎡(재활용품)]

참고

(뒤쪽)

작성방법

1. "② 주민등록번호" 및 "⑧ 주민등록번호"란: 외국인은 외국인등록번호(외국인등록번호가 없는 경우 여권번호)를 적습니다.

2. "⑨ 거주구분"란: 거주자와 비거주자 중 ✔ 표시합니다.
   • "거주자" 및 "비거주자": 「상속세 및 증여세법」 제2조제8호의 구분에 따릅니다.

3. "⑤ 피상속인과의 관계"란 : 상속인을 기준으로 작성합니다. 예를 들면, 아버지가 사망하여 아들이 상속받는 경우에는 '자'로 적습니다.

4. "⑪ 상속원인"란 : 사망, 실종, 인정사망, 기타 중 ✔ 표시합니다.

5. "⑫ 상속개시일"란 : "⑪ 상속원인"이 실종인 경우에는 실종선고일, 그 외의 경우에는 사망일을 적습니다.

6. "⑬ 성명"부터 "⑯ 전화번호"란: 세무대리인이 기장한 경우 작성합니다.

7. "⑰ 상속세과세가액"란 : 상속세과세가액계산명세서(별지 제9호서식 부표 1)의 "㉙ 상속세과세가액"란의 금액을 옮겨 적습니다.

8. "⑱ 상속공제액"란 : 채무·공과금·장례비용 및 상속공제명세서(별지 제9호서식 부표 3)의 "㉙ 상속공제금액합계"란의 금액을 옮겨 적습니다.

9. "㉑ 세율", "㉒ 산출세액"란 : 상속세 세율표에 따라 세율을 적고 과세표준에 세율을 곱한 금액에서 누진공제액을 빼서 산출세액을 계산합니다. • 산출세액 = (과세표준 × 세율) - 누진공제액

<상속세 세율표>

과세표준	세율	누진공제액
1억원 이하	10%	0
1억원 초과 5억원 이하	20%	1,000만원
5억원 초과 10억원 이하	30%	6,000만원
10억원 초과 30억원 이하	40%	16,000만원
30억원 초과	50%	46,000만원

10. "㉓ 세대생략가산액"란 : 「상속세 및 증여세법」 제27조에 따라 계산한 금액을 적습니다.

11. "㉕ 이자상당액"란 : 「상속세 및 증여세법」 제18조제8항에 따라 계산한 금액을 적습니다.

12. "㉘ 증여세액공제"란 : 「상속세 및 증여세법」 제28조, 「조세특례제한법」 제30조의5 및 제30조의6에 따른 증여세액공제액을 구분하여 각각 적습니다.

13. "㉟ 면제분 납부세액"란 : 상속세 납부의무를 면제받은 영리법인의 상속인 및 직계비속이 납부할 상속세액을 적습니다.
   • "유증 등 재산가액"란 : 영리법인이 유증받은 재산의 가액을 적습니다.
   • "면제세액"란 : 「상속세 및 증여세법」 제3조의2에 따라 그 영리법인이 유증받은 가액에 대하여 면제받은 상속세액을 적습니다.

14. "㊱ 신고불성실가산세"란 및 "㊲ 납부불성실가산세"란 : 「국세기본법」 제47조, 제47조의2부터 제47조의5까지 및 제48조에 따라 부담할 가산세를 각각 적습니다.

15. "㊴ 연부연납"란 : 「상속세 및 증여세법」 제71조에 따라 납부세액이 2천만원을 초과하는 경우에 한해 연부연납을 신청할 수 있으며 연부연납 신청세액과 신청일자를 적습니다. 이 때, 상속세(증여세) 연부연납 허가신청서 (별지 제11호서식)를 제출하여야 합니다.

16. "㊵ 물납"란 : 「상속세 및 증여세법」 제73조에 따라 물납을 신청하는 경우 물납 신청세액과 신청일자를 적습니다. 이 때, 상속세 물납(변경)신청서(별지 제13호서식)를 제출하여야 합니다.

17. "㊶ 분납"란 : 「상속세 및 증여세법」 제70조제2항에 따라 납부할 금액이 1천만원을 초과하는 경우 다음 구분에 따른 금액과 납부(예정)일자를 적습니다. 다만, 「상속세 및 증여세법」 제71조에 따라 연부연납을 허가받은 경우에는 분납을 신청할 수 없습니다.
   가. 납부할 세액이 2천만원 이하인 때 : 1천만원을 초과하는 금액
   나. 납부할 세액이 2천만원을 초과하는 때 : 그 세액의 100분의 50 이하의 금액

18. "㊷ 신고납부"란 : 「상속세 및 증여세법」 제67조에 따라 상속세과세표준신고를 할 때 납부할 세액을 적습니다.

210mm×297mm[백상지 80g/㎡(재활용품)]

참고

• 한국 상속세 신고서(2)

■ 상속세 및 증여세법 시행규칙 [별지 제9호서식 부표 1] <개정 2019. 3. 20.>

관리번호	-

상속세과세가액계산명세서

※ 뒤쪽의 작성방법을 읽고 작성하시기 바랍니다. (앞쪽)

가. 상속받은 총재산명세

① 재산구분코드	② 재산종류	③ 지목 또는 건물·재산종류	④ 소재지·법인명 등: 국외자산 여부	④ 소재지·법인명 등: 국외재산 국가명	④ 소재지·법인명 등	⑤ 사업자등록번호 (또는 계좌번호)	⑥ 수량 (면적)	⑦ 단가	⑧ 가액	⑨ 평가기준코드
			[ ]여 [ ]부							
			[ ]여 [ ]부							
			[ ]여 [ ]부							
			[ ]여 [ ]부							
			[ ]여 [ ]부							
⑩ 계										

나. 상속세 과세가액 계산

총상속재산가액	⑪ 상속재산가액	
	⑫ 상속개시 전 처분재산등 산입액(「상속세 및 증여세법」 제15조)	
	⑬ 합계	
비과세 재산가액 (「상속세 및 증여세법」 제12조)	⑭ 계	
	⑮ 금양(禁養)임야등 가액(「민법」 제1008조의3)	
	⑯ 문화재가액	
	⑰ 기타	
과세가액 불산입액	⑱ 계	
	⑲ 공익법인 출연재산가액(「상속세 및 증여세법」 제16조)	
	⑳ 공익신탁 재산가액(「상속세 및 증여세법」 제17조)	
	㉑ 기타	
공제금액 (「상속세 및 증여세법」 제14조)	㉒ 계	
	㉓ 공과금	
	㉔ 장례비용	
	㉕ 채무	
가산하는 증여재산가액	㉖ 계 (㉗ + ㉘ 또는 ㉗ + ㉙)	
	㉗ 「상속세 및 증여세법」 제13조	
	㉘ 「조세특례제한법」 제30조의5	
	㉙ 「조세특례제한법」 제30조의6	
㉚ 상속세 과세가액 [⑬ - (⑭ + ⑱ + ㉒) + ㉖]		

210mm×297mm[백상지 80g/㎡(재활용품)]

(뒤쪽)

작성방법

1. "① 재산구분코드"란 : 아래의 재산구분에 해당하는 코드를 적습니다.

재산구분	상속재산 (상속인)	상속재산 (상속인 외)	상속개시전 처분재산	증여재산가산 (상속인)	증여재산가산 (상속인 외)	증여재산가산 (창업자금)	증여재산가산 (가업승계)	비과세재산 (금양임야)	비과세재산 (문화재 등)	비과세재산 (기타)	과세가액불산입 (공익법인 출연재산)	과세가액불산입 (공익신탁재산)
코드	A11	A12	A13	A21	A22	A23	A24	B11	B12	B13	B21	B22

2. "② 재산종류"란 : 토지, 건물, 유가증권 등 해당 재산의 종류를 적습니다.
3. "③ 지목 또는 건물 · 재산종류"란 : 재산종류가 토지인 경우에는 해당 물건의 등기부 등본상 지목(전, 답 등)을 기재하고, 주택, 건물인 경우에는 해당 물건의 등기부 등본상 건물내역의 명칭(아파트, 상업용건물, 오피스텔 등) 등을 적습니다. 그 외의 재산은 해당 재산의 세부종류명(유가증권인 경우 비상장주식, 상장주식 등)을 적습니다.
4. "④ 소재지 · 법인명 등"란 : 재산의 소재지 또는 법인명 등을 적습니다. 국외자산의 경우 국외자산여부에 ✔ 표시하고 해당 국가명을 별도 기재하고 소재지 · 법인명 등은 한글 또는 영문으로 적습니다. 부득이한 경우 해당 국가의 언어로 적습니다.
   가. 소재지를 기재할 경우 : 해당 물건의 소재지번(예시 : 세종특별자치시 나성동 457)을 적고, 주택(공동, 개별주택)의 경우 동, 호수를 같이 적습니다.
   나. 법인명 등을 기재할 경우 : 유가증권인 경우에는 해당 주식을 발행한 법인의 법인명을 적습니다. 그 외의 경우에는 작품명 등 재산명(예시 : 보험금인 경우 □□생명 △△보험 / 유가증권인 경우 ㈜○○건설)을 적습니다.
5. "⑤ 사업자등록번호"란 : "② 재산종류"가 유가증권인 경우에는 해당 주식을 발행한 법인의 사업자등록번호를 각각 적고, 금융재산인 경우에는 관련 계좌번호를 각각 적습니다.
6. ⑨ 평가기준코드"란 : 아래의 평가기준에 해당하는 코드를 적습니다.

평가기준	해당 재산의 매매거래가액 (「상속세 및 증여세법」 제 60조)	해당 재산의 감정가액 (「상속세 및 증여세법」 제 60조)	해당 재산의 수용보상가액 (「상속세 및 증여세법」 제 60조)	해당 재산의 경매공매가액 (「상속세 및 증여세법」 제 60조)	유사재산의 매매사례가액 등 (「상속세 및 증여세법」 제 60조)	현금 등 가액 (「상속세 및 증여세법」 제 60조)	저당권 등 평가특례가액 (「상속세 및 증여세법」 제 66조)	기준시가 등 보충적 평가가액 (「상속세 및 증여세법」 제 61조부터 제65조)
코드	01	02	03	04	05	06	07	08

7. "⑪ 상속재산가액"란에는 본래의 상속재산가액에 「상속세 및 증여세법」 제8조부터 제10조까지의 상속재산을 합산한 금액(㉗ 「상속세 및 증여세법」 제13조, ㉘ 「조세특례제한법」 제30조의5, ㉙ 「조세특례제한법」 제30조의6에 따라 가산하는 증여재산가액은 포함하지 않습니다)을 적습니다.
8. "⑫ 상속개시전 처분재산등 산입액"란에는 상속개시전 1(2)년 이내 재산처분 · 채무부담 내역 및 사용처명세서(별지 제9호서식 부표 4)의 "⑯ 상속추정 재산가액"란의 금액을 적습니다.
9. "㉓ 공과금"란부터 "㉕ 채무"란까지는 채무 · 공과금 · 장례비용 및 상속공제명세서(별지 제9호서식 부표 3)의 각 해당금액을 적습니다.
10. "㉘ 「조세특례제한법」 제30조의5", "㉙ 「조세특례제한법」 제30조의6"란은 증여 당시의 창업자금, 가업승계 주식등 증여재산 평가가액을 적습니다.

210mm×297mm[백상지 80g/㎡(재활용품)]

• 한국 상속세 신고서(3)

■ 상속세 및 증여세법 시행규칙 [별지 제9호서식 부표 2] <개정 2018. 3. 19.>

관리번호	-

상속인별 상속재산 및 평가명세서

※ 뒤쪽의 작성방법을 읽고 작성하시기 바랍니다. (앞쪽)

가. 상속인별 상속현황

① 피상속인과의 관계	② 성명	③ 주민등록번호	④ 주소	⑤ 법정상속지분율	⑥ 법정상속재산가액	⑦ 실제상속지분율	⑧ 실제상속재산가액

나. 상속인별 상속재산명세

⑨ 재산구분코드	⑩ 재산종류	⑪ 지목 또는 건물·재산종류	국외자산여부	국외재산국가명	⑫ 소재지·법인명 등	⑬ 사업자등록번호	⑭ 수량(면적)	⑮ 단가	⑯ 평가가액	⑰ 평가기준코드
			[ ]여 [ ]부							
			[ ]여 [ ]부							
			[ ]여 [ ]부							
			[ ]여 [ ]부							
			[ ]여 [ ]부							
			[ ]여 [ ]부							
			[ ]여 [ ]부							
			[ ]여 [ ]부							
			[ ]여 [ ]부							
			[ ]여 [ ]부							

계					
계	⑱ 상속재산가액				
	⑲ 상속개시 전 처분재산등 산입액				
	비과세 재산가액	⑳ 금양임야 등 가액			
		㉑ 문화재 가액			
		㉒ 기타			
	과세가액 불산입액	㉓ 공익법인 출연재산가액			
		㉔ 공익신탁 재산가액			
		㉕ 기타			
	가산하는 증여재산가액	㉖ 「상속세 및 증여세법」 제13조			
		㉗ 「조세특례제한법」 제30조의5			
		㉘ 「조세특례제한법」 제30조의5			
	㉙ 합계				

210mm×297mm[백상지 80g/㎡(재활용품)]

(뒤쪽)

작성방법

1. "① 피상속인과의 관계"란 : 상속인을 기준으로 작성합니다. (예시 : 아버지가 사망하여 아들이 상속받는 경우 '자'로 표기합니다.)

2. "⑤ 법정상속지분율"란 : 해당 상속인의 지분을 총 상속지분으로 나눈 비율을 적습니다 (해당 상속인 지분 ÷ 총상속지분)

3. "⑥ 법정상속재산가액"란 : 상속세과세가액계산명세서(서식9 부표 1)의 "⑩ 상속재산가액" 및 "㉕ 가산하는 증여재산의 금액 합계액"에서 상속인이 아닌 수유자가 유증 등을 받은 재산가액과 동 서식의 "⑬ 비과세 계", "㉒ 공과금" 및 "㉔ 채무"의 금액을 차감한 금액에 대해 "⑤ 법정상속지분율"을 곱하여 계산한 금액을 적습니다.

4. "⑦ 실제상속지분율"란 : 해당 상속인이 협의분할에 의하여 취득한 재산가액("⑧ 실제상속재산가액"란의 금액)을 총상속재산가액으로 나눈 비율을 적습니다.

5. "⑧ 실제상속재산가액"란 : 상속인간의 협의분할시에 의하여 해당 상속인이 실제 취득한 금액을 기재하고 협의분할서를 첨부하여야 합니다.

6. "⑨ 재산구분코드"란 : 아래의 재산구분에 해당하는 코드를 적습니다.

재산구분	상속재산 (상속인)	상속재산 (상속인 외)	상속개시전 처분재산	증여재산가산 (상속인)	증여재산가산 (상속인 외)	증여재산가산 (창업자금)	증여재산가산 (가업승계)	비과세재산 (금양임야)	비과세재산 (문화재 등)	비과세재산 (기타)	과세가액불산입 (공익법인 출연재산)	과세가액불산입 (공익신탁재산)
코드	A11	A12	A13	A21	A22	A23	A24	B11	B12	B13	B21	B22

7. "⑩ 재산종류"란 : 토지, 건물, 유가증권 등 해당 재산의 종류를 적습니다.

8. "⑪ 지목 또는 건물·재산종류"란 : 재산종류가 토지인 경우에는 해당 물건의 등기부 등본상 지목(전, 답 등)을 기재하고, 주택, 건물인 경우에는 해당 물건의 등기부 등본상 건물내역의 명칭(아파트, 상업용건물, 오피스텔 등) 등을 적습니다. 그 외의 재산은 해당 재산의 세부종류명(유가증권인 경우 비상장주식, 상장주식 등)을 적습니다.

9. "⑫ 소재지·법인명 등"란 : 재산의 소재지 또는 법인명 등을 적습니다. 국외자산의 경우 국외자산여부에 ✔ 표시하고 해당 국가명을 별도 기재하고 소재지·법인명 등은 한글 또는 영문으로 적습니다. 부득이한 경우 해당 국가의 언어로 적습니다.
   가. 소재지를 기재할 경우 : 해당 물건의 소재지번(예시 : 세종특별자치시 나성동 457)을 적습니다.
   나. 법인명 등을 기재할 경우 : 유가증권인 경우에는 해당 주식을 발행한 법인의 법인명을 적습니다. 그 외의 경우에는 작품명 등 재산명(예시 : 보험금인 경우 □□생명 △△보험 / 유가증권인 경우 ㈜○○건설)을 적습니다.

10. "⑬ 사업자등록번호"란 : "⑩ 재산종류"가 유가증권인 경우에는 해당 주식을 발행한 법인의 사업자등록번호를 각각 적습니다.

11. "⑰ 평가기준코드"란 : 아래의 평가기준에 해당하는 코드를 적습니다.

평가기준	해당 재산의 매매거래가액 (「상속세 및 증여세법」 제 60조)	해당 재산의 감정가액 (「상속세 및 증여세법」 제 60조)	해당 재산의 수용보상가액 (「상속세 및 증여세법」 제 60조)	해당 재산의 경매공매가액 (「상속세 및 증여세법」 제 60조)	유사재산의 매매사례가액 등 (「상속세 및 증여세법」 제 60조)	현금 등 가액 (「상속세 및 증여세법」 제 60조)	저당권 등 평가특례가액 (「상속세 및 증여세법」 제 66조)	기준시가 등 보충적 평가가액 (「상속세 및 증여세법」 제 61조부터 제65조)
코드	01	02	03	04	05	06	07	08

210mm×297mm[백상지 80g/㎡(재활용품)]

참고

• 한국 상속세 신고서(4)

■ 상속세 및 증여세법 시행규칙 [별지 제9호서식 부표 3] <개정 2019. 3. 20.>

관리번호	-

채무 · 공과금 · 장례비용 및 상속공제명세서

가. 채무

① 채무종류	② 차입기간		채권자			⑥금 액
	발생 연월일	종료(예정) 연월일	③ 성 명 (상 호)	④ 주민등록번호 (사업자등록번호)	⑤ 주소(소재지)	
⑦ 계						

나. 공과금

⑧ 공과금종류코드	⑨ 연도별	⑩ 분기별	⑪ 금액
⑫ 계			

다. 장례비용

지급처		⑮ 지급내역	⑯ 금액
⑬ 주민등록번호 (사업자등록번호)	⑭ 성명(상호)		
⑰ 계			

라. 상속공제

기 초 공 제 및 그 밖의 인적공제	⑱ 기 초 공 제	
	⑲ 자 녀 공 제	
	⑳ 미 성 년 자 공 제	
	㉑ 연 로 자 공 제	
	㉒ 장 애 인 공 제	
㉓ 일 괄 공 제		
추 가 상 속 공 제	㉔ 가 업 상 속 공 제	
	㉕ 영 농 상 속 공 제	
㉖ 배 우 자 상 속 공 제		
㉗ 금 융 재 산 상 속 공 제		
㉘ 재 해 손 실 공 제		
㉙ 동 거 주 택 상 속 공 제		
㉚ 공 제 적 용 한 도 액		
㉛ 상 속 공 제 금 액 합 계		

신청(신고)인 제출서류	1. 채무부담 및 공과금·장례비·감정평가수수료 지급 입증서류

작성방법

1. 채무와 공과금은 상속개시 당시의 현황에 따라 적습니다.
2. "① 채무종류"란 : 금융채무, 개인사채, 상가 임대보증금 등 채무의 종류를 적습니다.
3. "⑧ 공과금종류코드"란 : 아래의 공과금종류구분에 해당하는 코드를 적습니다.

공과금종류	국세	지방세	공공요금	과태료/범칙금	회비	기타
코드	01	02	03	04	05	06

210㎜×297㎜[백상지 80g/㎡(재활용품)]

참고

• 한국 상속세 신고서(5)

[별지 제9호서식 부표 4] <신설 2003.12.31>

상속개시전 1(2)년 이내 재산처분·채무부담내역 및 사용처소명명세서

가. 처분재산 및 부담부채 명세

① 재산소재지	② 종류	③ 면적	④ 처분일(부담일)	⑤ 금액	⑥양수자(채권자)		
					주소	성명	주민등록번호
합계							

나. 사용처

⑦ 사용 연월일	⑧ 금액	⑨ 사용용도	⑩거래상대방			
			주소	성명	주민등록번호	관계
합계						

다. 상속재산가산액 계산

⑪ 재산처분(부담채무)가액	⑫ 사용처소명 금액	⑬ 미소명 금액	⑭ ⑪금액의 20%와 2억원 중 적은금액	⑮ 상속추정여부 ⑬>⑭	⑯ 상속추정 재산가액
				여·부	

작성방법

1. 이 명세서는 상속세및증여세법시행령 제11조제5항 각호의 1에 해당하는 재산종류별 별지로 작성합니다.
2. ⑤금액란은 처분재산종류별 금액 또는 채무부담액을 기재합니다.
3. ⑪처분재산(부담채무)가액란은 ⑤란의 합계금액을 기재합니다.
4. ⑫사용처소명금액란은 ⑧란의 합계금액을 기재합니다.
5. ⑬미소명금액란은 ⑪란의 금액에서 ⑫란의 금액을 차감한 금액을 기재합니다.
6. ⑮상속추정여부란은 여·부의 ○표를 기입합니다.
7. ⑯상속추정재산가액란은 ⑬란의 금액이 ⑭란의 금액보다 큰 경우 ⑬란의 금액에서 ⑭란의 금액을 차감한 금액을 기재합니다.

210㎜×297㎜(신문용지 54g/㎡ 재활용품)

참고

• 한국 상속세 신고서(6)

■ 상속세 및 증여세법 시행규칙 [별지 제5호서식] <개정 2016.3.21.>

금융재산 상속공제 신고서

※ 뒤쪽의 작성방법을 읽고 작성하시기 바랍니다. (앞쪽)

1. 피상속인 및 신고인(상속인) 인적사항

피상속인	성명		주민등록번호	
상 속 인	성명		주민등록번호	

2. 금융재산 및 금융채무 명세

가-1. 금융재산

종류	계좌번호 등	상호	사업자등록번호	단가	가액
				① 합계	

가-2. 금융채무

종류	계좌번호 등	상호	사업자등록번호	단가	가액
				② 합계	

3. 금융재산 상속공제금액

③ 순금융재산가액 (① - ②)	
④ 금융재산 상속공제 한도액 (뒷면 작성방법 표 참조)	
⑤ 금융재산 상속공제금액 (③과 ④중 적은 금액 기재)	

「상속세 및 증여세법」 제22조 및 같은 법 시행령 제19조제3항에 따라 금융재산 상속공제 신고서를 제출합니다.

년 월 일

신고인 (서명 또는 인)

세 무 서 장 귀하

신고인 제출서류	금융재산보유 및 금융채무 사실을 확인할 수 있는 서류	수수료 없음

210mm×297mm[백상지 80g/㎡(재활용품)]

(뒤쪽)

작성방법

※ 이 서식은 상속세 신고 중 금융재산 상속공제(「상속세 및 증여세법」 제22조)와 관련한 공제신고서식입니다.

1. "2. 금융재산 및 금융채무 명세"의 "가-1. 금융재산"에는 다음의 재산을 적습니다.

   가. ① 「금융실명거래 및 비밀보장에 관한 법률」 §2 1호에 따른 금융회사등이 취급하는 예금·적금·부금·계금·출자금·신탁재산(금전신탁재산에 한한다)·보험금·공제금·주식·채권·수익증권·출자지분·어음 등의 금전 및 유가증권과 ② 「자본시장과 금융투자업에 관한 법률」 제8조의2제2항에 따른 거래소에 상장되지 아니한 주식 및 출자지분으로서 금융기관이 취급하지 아니하는 것과 ③ 발행회사가 금융기관을 통하지 아니하고 직접 모집하거나 매출하는 방법으로 발행한 회사채를 말합니다.

   나. 금융재산에는 최대주주 또는 최대출자자가 보유하고 있는 주식 또는 출자지분과, 「상속세 및 증여세법」 제67조에 따른 상속세 과세표준 신고기한까지 신고하지 아니한 타인 명의의 금융재산은 포함되지 아니합니다.

   다. "최대주주 또는 최대출자자"란 주주 또는 출자자(주주 등) 1인과 그의 특수관계인의 보유주식 등을 합하여 그 보유주식 등의 합계가 가장 많은 경우의 해당 주주 등 1인과 그의 특수관계인 모두를 말합니다.

2. "2. 금융재산 및 금융채무 명세"의 "가-2. 금융채무"에는 금융기관 등에 대한 채무임을 확인할 수 있는 서류에 의하여 입증된 금융채무를 적습니다.

3. "③ 순금융재산가액"란은 "① 합계"에서 "② 합계"를 뺀 금액을 적습니다.

4. "④ 금융재산 상속공제 한도액"란은 "③ 순금융재산가액"이 아래 표에 해당하는 공제액을 적습니다.

순금융재산가액	공제액	순금융재산가액	공제액
2,000만원 이하	해당 순금융재산가액 전액	1억원 초과 ~ 10억원 이하	해당 순금융재산가액 × 20%
2,000만원 초과 ~ 1억원 이하	2천만원	10억원 초과	2억원

※ 계산사례

(단위 : 원)

구분	금융재산(①)	금융채무(②)	순금융재산가액(① - ②)	금융재산상속공제금액
가	40,000,000	25,000,000	15,000,000	15,000,000
나	80,000,000	25,000,000	55,000,000	20,000,000
다	140,000,000	20,000,000	120,000,000	24,000,000
라	1,200,000,000	100,000,000	1,100,000,000	200,000,000

5. "⑤ 금융재산 상속공제금액"란은 "③ 순금융재산가액"과 "④ 금융재산 상속공제 한도액" 중 적은 금액을 적습니다.

210㎜×297㎜[백상지 80g/㎡(재활용품)]

참고

• 한국 상속세 신고서(7)

■ 상속세 및 증여세법 시행규칙 [별지 제7호서식] <개정 2016.3.21.>

외국납부세액공제신청서

([ ] 상속세, [ ] 증여세)

1. 신청인

피상속인(증여자)	성명		주민등록번호	
신청인	성명		주민등록번호	
(상속인, 수증자)	주소			

2. 외국납부세액 과세물건

종류	소재지

3. 공제할 외국납부세액

① 상속(증여)세 산출세액		
② 상속(증여)세의 과세표준		
③ 외국납부세액이 부과된 상속(증여)재산의 과세표준		
④ 공제대상세액 (① × ③ / ②)		
외국납부세액 공제금액	⑤ 외국납부세액	
	⑥ 공제세액 (④ 와 ⑤ 중 적은 금액)	

「상속세 및 증여세법」 제29조·제59조 및 같은 법 시행령 제21조·제48조에 따라 외국납부세액공제신청서를 제출합니다.

년 월 일

신고인 (서명 또는 인)

세 무 서 장 귀하

신청인 제출서류	1. 외국에서 상속(증여)세가 부과된 사실을 입증할 수 있는 서류 2. 외국에서 부과된 상속(증여세)를 납부한 영수증 등 증명서류	수수료 없음

작성방법

1. "① 상속(증여)세 산출세액"란은 총 상속(증여)재산에 대한 산출세액을 적습니다.
2. "② 상속(증여)세의 과세표준"란은 총 상속(증여)재산에 대한 과세표준을 적습니다.
2. "③ 외국납부세액이 부과된 상속(증여)재산의 과세표준"란은 외국의 법령에 따라 상속(증여)세가 부과된 상속재산의 과세표준(해당 외국의 법령에 따른 상속(증여)세의 과세표준)을 적습니다.
3. "⑤ 외국납부세액"란은 실제로 외국정부(지방자치단체를 포함)에 납부한 세액을 적습니다.
 ※ 외국의 법령에 따라 상속(증여)세를 납부한 날의 「외국환거래법」 제5조제1항에 따른 기준환율 또는 재정환율에 따라 원화로 환산하여 작성
4. "⑥ 공제세액"란은 "④ 공제대상세액"과 "⑤ 외국납부세액"중 적은 금액을 적습니다.

210㎜×297㎜[백상지 80g/㎡(재활용품)]

• 한국 상속세 신고서(8)

■ 상속세 및 증여세법 시행규칙 [별지 제3호서식] <개정 2016.3.21.>

배우자 상속재산 미분할 신고서

1. 피상속인 및 신고인(상속인) 인적사항

피상속인	성명		주민등록번호	
신 고 인 (상 속 인)	성명		주민등록번호	
	주소			
	전화번호			

2. 상속재산

재산종류	소재지	수량(면적)	평가액

3. 상속재산 미분할 사유

(상속회복청구의 소 [ ], 상속재산 분할 심판 [ ], 상속인이 확정되지 아니한 경우[ ])

「상속세 및 증여세법」 제19조제3항 및 같은 법 시행령 제17조제3항에 따라 상속재산을 분할할 수 없는 사유를 위와 같이 신고합니다.

년 월 일

신고인 (서명 또는 인)

세 무 서 장 귀하

신고인 제출서류	1. 상속회복청구의 소에 관한 서류 1부 2. 상속재산 분할 심판 청구에 관한 서류 1부 3. 상속인이 확정되지 아니한 사유를 입증할 수 있는 서류 1부	수수료 없음

작성방법

※ 이 서식은 「상속세 및 증여세법」 제19조제3항에 따른 서식입니다.

1. "2.상속재산"에는 배우자 상속재산분할기한까지 분할하지 못한 배우자의 상속재산을 적습니다.
   이 때 평가액은 「상속세 및 증여세법」 제4장에 따라 평가한 가액을 적습니다.
2. "3. 상속재산 미분할 사유"에는 해당되는 사유(상속회복청구의소, 상속재산 분할 심판, 상속인이 확정되지 아니한 경우)에 √표를 하고 세부내용을 적습니다.

210mm×297mm[백상지 80g/㎡(재활용품)]

참고

• 일본 상속세 신고서(1)

相続税の申告書

FD3561

＿＿＿＿税務署長
＿＿年＿＿月＿＿日提出

相続開始年月日　　年　月　日

※申告期限延長日　　年　月　日

○フリガナは、必ず記入してください。

	各人の合計	財産を取得した人
フリガナ	(被相続人)	
氏名		印
個人番号又は法人番号		↓個人番号の記載に当たっては、左端を空欄としここから記入してください。
生年月日	年　月　日（年齢　歳）	年　月　日（年齢　歳）
住所（電話番号）		〒 （　－　－　）
被相続人との続柄／職業		
取得原因	該当する取得原因を○で囲みます。	相続・遺贈・相続時精算課税に係る贈与
※整理番号		

区分	項目	番号	各人の合計	財産を取得した人
課税価格の計算	取得財産の価額（第11表③）	①	円	円
	相続時精算課税適用財産の価額（第11の2表1⑦）	②		
	債務及び葬式費用の金額（第13表3⑦）	③		
	純資産価額（①+②-③）（赤字のときは0）	④		
	純資産価額に加算される暦年課税分の贈与財産価額（第14表1④）	⑤		
	課税価格（④+⑤）（1,000円未満切捨て）	⑥	000 Ⓐ	000
各人の算出税額の計算	法定相続人の数／遺産に係る基礎控除額		人　000000 円Ⓑ	左の欄には、第2表の②欄の回の人数及び㋭の金額を記入します。
	相続税の総額	⑦	00	左の欄には、第2表の⑧欄の金額を記入します。
	一般の場合（⑩の場合を除く）　あん分割合（各人の⑥/Ⓐ）	⑧	1.00	
	一般の場合（⑩の場合を除く）　算出税額（⑦×各人の⑧）	⑨	円	円
	農地等納税猶予の適用を受ける場合　算出税額（第3表⑬）	⑩		
	相続税額の2割加算が行われる場合の加算金額（第4表⑦）	⑪	円	円
各人の納付・還付税額の計算	税額控除　暦年課税分の贈与税額控除額（第4表の2㉙）	⑫		
	税額控除　配偶者の税額軽減額（第5表㋥又は㋬）	⑬		
	税額控除　未成年者控除額（第6表1②、③又は⑥）	⑭		
	税額控除　障害者控除額（第6表2②、③又は⑥）	⑮		
	税額控除　相次相続控除額（第7表⑬又は⑱）	⑯		
	税額控除　外国税額控除額（第8表1⑧）	⑰		
	税額控除　計	⑱		
	差引税額（⑨+⑪-⑱）又は（⑩+⑪-⑱）（赤字のときは0）	⑲		
	相続時精算課税分の贈与税額控除額（第11の2表1⑧）	⑳	00	00
	医療法人持分税額控除額（第8の4表2B）	㉑		
	小計（⑲-⑳-㉑）（黒字のときは100円未満切捨て）	㉒		
	納税猶予税額（第8の8表⑧）	㉓	00	00
	申告納税額（㉒-㉓）　申告期限までに納付すべき税額	㉔	00	00
	申告納税額（㉒-㉓）　還付される税額	㉕		

※税務署整理欄：申告区分／年分／グループ番号／補完番号／名簿番号／申告年月日／関与区分／書面添付／検算印／管理補完／確認

作成税理士の事務所所在地・署名押印・電話番号　　印

□ 税理士法第30条の書面提出有
□ 税理士法第33条の2の書面提出有

※税務署整理欄：通信日付印 年月日／確認者印

（資4－20－1－1－A4統一）第1表（令元.7）

第1表（平成31年1月分以降用）

（注）㉒欄の金額が赤字となる場合は、㉒欄の左端に△を付してください。なお、この場合で、㉒欄の金額のうちに贈与税の外国税額控除額（第11の2表1⑨）があるときの㉕欄の金額については、「相続税の申告のしかた」を参照してください。

○この申告書は機械で読み取りますので、黒ボールペンで記入してください。
また、申告書と添付資料を一緒にとじないでください。

※の項目は記入する必要がありません。

税務署受付印

• 일본 상속세 신고서(2)

相続税の総額の計算書

被相続人	

第2表（平成27年分以降用）

○この表を修正申告書の第2表として使用するときは、㋑欄には修正申告書第1表の㋺欄の⑥Ⓐの金額を記入し、㋭欄には修正申告書第3表の1の㋺欄の⑥Ⓐの金額を記入します。

この表は、第１表及び第３表の「相続税の総額」の計算のために使用します。
なお、被相続人から相続、遺贈や相続時精算課税に係る贈与によって財産を取得した人のうちに農業相続人がいない場合は、この表の㋭欄及び㋬欄並びに⑨欄から⑪欄までは記入する必要がありません。

① 課税価格の合計額		② 遺産に係る基礎控除額	③ 課税遺産総額	
㋑（第１表⑥Ⓐ）	円 ,000	3,000万円＋（600万円×㋺（Ⓐの法定相続人の数）人）＝㋩ 万円	㋥（㋑－㋩）	円 ,000
㋭（第３表⑥Ⓐ）	,000	㋺の人数及び㋩の金額を第１表Ⓑへ転記します。	㋬（㋭－㋩）	,000

④ 法定相続人（（注）１参照）		⑤	第１表の「相続税の総額⑦」の計算		第３表の「相続税の総額⑦」の計算	
氏名	被相続人との続柄	左の法定相続人に応じた法定相続分	⑥ 法定相続分に応ずる取得金額（㋥×⑤）（1,000円未満切捨て）	⑦ 相続税の総額の基となる税額（下の「速算表」で計算します。）	⑨ 法定相続分に応ずる取得金額（㋬×⑤）（1,000円未満切捨て）	⑩ 相続税の総額の基となる税額（下の「速算表」で計算します。）
			円 ,000	円	円 ,000	円
			,000		,000	
			,000		,000	
			,000		,000	
			,000		,000	
			,000		,000	
			,000		,000	
			,000		,000	
			,000		,000	
法定相続人の数	Ⓐ 人	合計 1	⑧ 相続税の総額（⑦の合計額）（100円未満切捨て）	00	⑪ 相続税の総額（⑩の合計額）（100円未満切捨て）	00

（注）1 ④欄の記入に当たっては、被相続人に養子がある場合や相続の放棄があった場合には、「相続税の申告のしかた」をご覧ください。
2 ⑧欄の金額を第１表⑦欄へ転記します。財産を取得した人のうちに農業相続人がいる場合は、⑧欄の金額を第１表⑦欄へ転記するとともに、⑪欄の金額を第３表⑦欄へ転記します。

相続税の速算表

法定相続分に応ずる取得金額	10,000千円以下	30,000千円以下	50,000千円以下	100,000千円以下	200,000千円以下	300,000千円以下	600,000千円以下	600,000千円超
税率	10%	15%	20%	30%	40%	45%	50%	55%
控除額	－千円	500千円	2,000千円	7,000千円	17,000千円	27,000千円	42,000千円	72,000千円

この速算表の使用方法は、次のとおりです。
⑥欄の金額×税率－控除額＝⑦欄の税額　　⑨欄の金額×税率－控除額＝⑩欄の税額
例えば、⑥欄の金額30,000千円に対する税額（⑦欄）は、30,000千円×15%－500千円＝4,000千円です。

○連帯納付義務について
相続税の納税については、各相続人等が相続、遺贈や相続時精算課税に係る贈与により受けた利益の価額を限度として、お互いに連帯して納付しなければならない義務があります。

第２表（令元.7）　（資４－20－３－Ａ４統一）

• 일본 상속세 신고서(3)

暦年課税分の贈与税額控除額の計算書

被相続人

第4表の2（平成31年1月分以降用）

この表は、第14表の「1 純資産価額に加算される暦年課税分の贈与財産価額及び特定贈与財産価額の明細」欄に記入した財産のうち相続税の課税価格に加算されるものについて、贈与税が課税されている場合に記入します。

	控除を受ける人の氏名				
相続開始の年の前年分（　年分）	贈与税の申告書の提出先		税務署	税務署	税務署
	被相続人から暦年課税に係る贈与によって租税特別措置法第70条の2の5第1項の規定の適用を受ける財産（特例贈与財産）を取得した場合				
	相続開始の年の前年中に暦年課税に係る贈与によって取得した特例贈与財産の価額の合計額	①	円	円	円
	①のうち被相続人から暦年課税に係る贈与によって取得した特例贈与財産の価額の合計額（贈与税額の計算の基礎となった価額）	②			
	その年分の暦年課税分の贈与税額（裏面の「2」参照）	③			
	控除を受ける贈与税額（特例贈与財産分）（③×②÷①）	④			
	被相続人から暦年課税に係る贈与によって租税特別措置法第70条の2の5第1項の規定の適用を受けない財産（一般贈与財産）を取得した場合				
	相続開始の年の前年中に暦年課税に係る贈与によって取得した一般贈与財産の価額の合計額（贈与税の配偶者控除後の金額）	⑤	円	円	円
	⑤のうち被相続人から暦年課税に係る贈与によって取得した一般贈与財産の価額の合計額（贈与税額の計算の基礎となった価額）	⑥			
	その年分の暦年課税分の贈与税額（裏面の「3」参照）	⑦			
	控除を受ける贈与税額（一般贈与財産分）（⑦×⑥÷⑤）	⑧			
相続開始の年の前々年分（　年分）	贈与税の申告書の提出先		税務署	税務署	税務署
	被相続人から暦年課税に係る贈与によって租税特別措置法第70条の2の5第1項の規定の適用を受ける財産（特例贈与財産）を取得した場合				
	相続開始の年の前々年中に暦年課税に係る贈与によって取得した特例贈与財産の価額の合計額	⑨	円	円	円
	⑨のうち被相続人から暦年課税に係る贈与によって取得した特例贈与財産の価額の合計額（贈与税額の計算の基礎となった価額）	⑩			
	その年分の暦年課税分の贈与税額（裏面の「2」参照）	⑪			
	控除を受ける贈与税額（特例贈与財産分）（⑪×⑩÷⑨）	⑫			
	被相続人から暦年課税に係る贈与によって租税特別措置法第70条の2の5第1項の規定の適用を受けない財産（一般贈与財産）を取得した場合				
	相続開始の年の前々年中に暦年課税に係る贈与によって取得した一般贈与財産の価額の合計額（贈与税の配偶者控除後の金額）	⑬	円	円	円
	⑬のうち被相続人から暦年課税に係る贈与によって取得した一般贈与財産の価額の合計額（贈与税額の計算の基礎となった価額）	⑭			
	その年分の暦年課税分の贈与税額（裏面の「3」参照）	⑮			
	控除を受ける贈与税額（一般贈与財産分）（⑮×⑭÷⑬）	⑯			
相続開始の年の前々々年分（　年分）	贈与税の申告書の提出先		税務署	税務署	税務署
	被相続人から暦年課税に係る贈与によって租税特別措置法第70条の2の5第1項の規定の適用を受ける財産（特例贈与財産）を取得した場合				
	相続開始の年の前々々年中に暦年課税に係る贈与によって取得した特例贈与財産の価額の合計額	⑰	円	円	円
	⑰のうち相続開始の日から遡って3年前の日以後に被相続人から暦年課税に係る贈与によって取得した特例贈与財産の価額の合計額（贈与税額の計算の基礎となった価額）	⑱			
	その年分の暦年課税分の贈与税額（裏面の「2」参照）	⑲			
	控除を受ける贈与税額（特例贈与財産分）（⑲×⑱÷⑰）	⑳			
	被相続人から暦年課税に係る贈与によって租税特別措置法第70条の2の5第1項の規定の適用を受けない財産（一般贈与財産）を取得した場合				
	相続開始の年の前々々年中に暦年課税に係る贈与によって取得した一般贈与財産の価額の合計額（贈与税の配偶者控除後の金額）	㉑	円	円	円
	㉑のうち相続開始の日から遡って3年前の日以後に被相続人から暦年課税に係る贈与によって取得した一般贈与財産の価額の合計額（贈与税額の計算の基礎となった価額）	㉒			
	その年分の暦年課税分の贈与税額（裏面の「3」参照）	㉓			
	控除を受ける贈与税額（一般贈与財産分）（㉓×㉒÷㉑）	㉔			
	暦年課税分の贈与税額控除額計（④＋⑧＋⑫＋⑯＋⑳＋㉔）	㉕	円	円	円

（注）各人の㉕欄の金額を第1表のその人の「暦年課税分の贈与税額控除額⑫」欄に転記します。

第4表の2（令元.7）　　（資4−20−5−3−A4 統一）

참고

• 일본 상속세 신고서(4)

配偶者の税額軽減額の計算書

被相続人	

第5表(平成21年4月分以降用)

私は、相続税法第19条の2第1項の規定による配偶者の税額軽減の適用を受けます。

1 一般の場合 (この表は、①被相続人から相続、遺贈や相続時精算課税に係る贈与によって財産を取得した人のうちに農業相続人がいない場合又は②配偶者が農業相続人である場合に記入します。)

課税価格の合計額のうち配偶者の法定相続分相当額	(第1表のⒶの金額) ［配偶者の法定相続分］ ＿＿＿,000円 × ＿＿ = ＿＿＿円 上記の金額が16,000万円に満たない場合には、16,000万円	㋑※ 円

配偶者の税額軽減額を計算する場合の課税価格	① 分割財産の価額(第11表の配偶者の①の金額)	分割財産の価額から控除する債務及び葬式費用の金額 ② 債務及び葬式費用の金額(第1表の配偶者の③の金額)	③ 未分割財産の価額(第11表の配偶者の②の金額)	④ (②－③)の金額(③の金額が②の金額より大きいときは0)	⑤ 純資産価額に加算される暦年課税分の贈与財産価額(第1表の配偶者の⑤の金額)	⑥ (①－④＋⑤)の金額(⑤の金額より小さいときは⑤の金額)(1,000円未満切捨て)
	円	円	円	円	円	※ 円 ,000

⑦ 相続税の総額(第1表の⑦の金額)	⑧ ㋑の金額と⑥の金額のうちいずれか少ない方の金額	⑨ 課税価格の合計額(第1表のⒶの金額)	⑩ 配偶者の税額軽減の基となる金額(⑦×⑧÷⑨)
円 00	円	円 ,000	円

配偶者の税額軽減の限度額	(第1表の配偶者の⑨又は⑩の金額) (第1表の配偶者の⑫の金額) (＿＿＿円 － ＿＿＿円)	㋺ 円
配偶者の税額軽減額	(⑩の金額と㋺の金額のうちいずれか少ない方の金額)	㋩ 円

(注) ㋩の金額を第1表の配偶者の「配偶者の税額軽減額⑬」欄に転記します。

2 配偶者以外の人が農業相続人である場合 (この表は、被相続人から相続、遺贈や相続時精算課税に係る贈与によって財産を取得した人のうちに農業相続人がいる場合で、かつ、その農業相続人が配偶者以外の場合に記入します。)

課税価格の合計額のうち配偶者の法定相続分相当額	(第3表のⒶの金額) ［配偶者の法定相続分］ ＿＿＿,000円 × ＿＿ = ＿＿＿円 上記の金額が16,000万円に満たない場合には、16,000万円	㋥※ 円

配偶者の税額軽減額を計算する場合の課税価格	⑪ 分割財産の価額(第11表の配偶者の①の金額)	分割財産の価額から控除する債務及び葬式費用の金額 ⑫ 債務及び葬式費用の金額(第1表の配偶者の③の金額)	⑬ 未分割財産の価額(第11表の配偶者の②の金額)	⑭ (⑫－⑬)の金額(⑬の金額が⑫の金額より大きいときは0)	⑮ 純資産価額に加算される暦年課税分の贈与財産価額(第1表の配偶者の⑤の金額)	⑯ (⑪－⑭＋⑮)の金額(⑮の金額より小さいときは⑮の金額)(1,000円未満切捨て)
	円	円	円	円	円	※ 円 ,000

⑰ 相続税の総額(第3表の⑦の金額)	⑱ ㋥の金額と⑯の金額のうちいずれか少ない方の金額	⑲ 課税価格の合計額(第3表のⒶの金額)	⑳ 配偶者の税額軽減の基となる金額(⑰×⑱÷⑲)
円 00	円	円 ,000	円

配偶者の税額軽減の限度額	(第1表の配偶者の⑩の金額) (第1表の配偶者の⑫の金額) (＿＿＿円 － ＿＿＿円)	㋭ 円
配偶者の税額軽減額	(⑳の金額と㋭の金額のうちいずれか少ない方の金額)	㋬ 円

(注) ㋬の金額を第1表の配偶者の「配偶者の税額軽減額⑬」欄に転記します。

※ 相続税法第19条の2第5項(隠蔽又は仮装があった場合の配偶者の相続税額の軽減の不適用)の規定の適用があるときには、「課税価格の合計額のうち配偶者の法定相続分相当額」の(第1表のⒶの金額)、⑥、⑦、⑨、「課税価格の合計額のうち配偶者の法定相続分相当額」の(第3表のⒶの金額)、⑯、⑰及び⑲の各欄は、第5表の付表で計算した金額を転記します。

第5表(令元.7)　　(資4－20－6－1－A4統一)

참고

• 일본 상속세 신고서(5)

外国税額控除額 農地等納税猶予税額 の計算書

被相続人	

第8表（平成31年1月分以降用）

1 外国税額控除 （この表は、課税される財産のうちに外国にあるものがあり、その財産について外国において日本の相続税に相当する税が課税されている場合に記入します。）

外国で相続税に相当する税を課せられた人の氏名	外国の法令により課せられた税			③ ①の日現在における邦貨換算率	④ 邦貨換算税額（②×③）	⑤ 邦貨換算在外純財産の価額	⑥ ⑤の金額/取得財産の価額 の割合	⑦ 相次相続控除後の税額×⑥	⑧ 控除額（④と⑦のうちいずれか少ない方の金額）
	国名及び税の名称	① 納期限（年月日）	② 税額						
		. .			円	円		円	円
		. .							
		. .							
		. .							
		. .							
		. .							

（注）1 ⑤欄は、在外財産の価額（被相続人から相続開始の年に暦年課税に係る贈与によって取得した財産及び相続時精算課税適用財産の価額を含みます。）からその財産についての債務の金額を控除した価額を記入します。
2 ⑥欄の「取得財産の価額」は、第1表の④欄の金額と被相続人から相続開始の年に暦年課税に係る贈与によって取得した財産の価額の合計額によります。
3 各人の⑧欄の金額を第1表のその人の「外国税額控除額⑰」欄に転記します。

2 農地等納税猶予税額 （この表は、農業相続人について該当する金額を記入します。）

農業相続人の氏名					
納税猶予の基となる税額（第3表の各農業相続人の⑫の金額）		①	円	円	円
相続税額の2割加算が行われる場合の加算金額（第4表⑦× ①/第3表の各農業相続人の⑫の金額）		②			
納税猶予税額の計算上の税額控除の計算額	税額控除額の計（第1表の各農業相続人の(⑱+⑳)の金額）	③			
	第3表⑨の各農業相続人の算出税額	④			
	相続税額の2割加算が行われる場合の加算金額（第4表⑦× ④/第3表の各農業相続人の⑨の金額）	⑤			
	(③−(④+⑤))の金額（赤字のときは0）	⑥			
農地等納税猶予税額（①+②−⑥）（100円未満切捨て、赤字のときは0）		⑦	00	00	00

（注）各人の⑦欄の金額を第8の8表のその人の「農地等納税猶予税額①」欄に転記します。なお、その人が、他の相続税の納税猶予等の適用を受ける場合は、第8の7表の⑰欄の金額を第8の8表のその人の「農地等納税猶予税額①」欄に転記します。

第8表（令元.7）　（資4−20−9−1−A4統一）

참고

• 일본 상속세 신고서(6)

生命保険金などの明細書

被相続人	

第9表（平成21年4月分以降用）

1　相続や遺贈によって取得したものとみなされる保険金など

この表は、相続人やその他の人が被相続人から相続や遺贈によって取得したものとみなされる生命保険金、損害保険契約の死亡保険金及び特定の生命共済金などを受け取った場合に、その受取金額などを記入します。

保険会社等の所在地	保険会社等の名称	受取年月日	受取金額	受取人の氏名
		・・	円	
		・・		
		・・		
		・・		
		・・		

（注）1　相続人（相続の放棄をした人を除きます。以下同じです。）が受け取った保険金などのうち一定の金額は非課税となりますので、その人は、次の2の該当欄に非課税となる金額と課税される金額とを記入します。
2　相続人以外の人が受け取った保険金などについては、非課税となる金額はありませんので、その人は、その受け取った金額そのままを第11表の「財産の明細」の「価額」の欄に転記します。
3　相続時精算課税適用財産は含まれません。

2　課税される金額の計算

この表は、被相続人の死亡によって相続人が生命保険金などを受け取った場合に、記入します。

保険金の非課税限度額	（500万円×〔第2表のⒶの法定相続人の数〕　人　により計算した金額を右のⒶに記入します。）	Ⓐ　円 ,000,000

保険金などを受け取った相続人の氏名	① 受け取った保険金などの金額	② 非課税金額（Ⓐ×各人の①/Ⓑ）	③ 課税金額（①－②）
	円	円	円
合計	Ⓑ		

（注）1　Ⓑの金額がⒶの金額より少ないときは、各相続人の①欄の金額がそのまま②欄の非課税金額となりますので、③欄の課税金額は0となります。
2　③欄の金額を第11表の「財産の明細」の「価額」欄に転記します。

第9表（令元.7）　（資4－20－10－A4統一）

참고

• 일본 상속세 신고서(7)

相続税がかかる財産の明細書

（相続時精算課税適用財産を除きます。）

被相続人	

第11表（平成31年1月分以降用）

○相続時精算課税適用財産の明細については、この表によらず第11の2表に記載します。

この表は、相続や遺贈によって取得した財産及び相続や遺贈によって取得したものとみなされる財産のうち、相続税のかかるものについての明細を記入します。

遺産の分割状況	区分	1 全部分割	2 一部分割	3 全部未分割
	分割の日	・ ・	・ ・	

財産の明細							分割が確定した財産	
種類	細目	利用区分、銘柄等	所在場所等	数量 / 固定資産税評価額	単価 / 倍数	価額	取得した人の氏名	取得財産の価額
				円	円	円		円

合計表		（各人の合計）					
財産を取得した人の氏名		（各人の合計）					
分割財産の価額	①	円	円	円	円	円	円
未分割財産の価額	②						
各人の取得財産の価額（①＋②）	③						

（注）1 「合計表」の各人の③欄の金額を第１表のその人の「取得財産の価額①」欄に転記します。
2 「財産の明細」の「価額」欄は、財産の細目、種類ごとに小計及び計を付し、最後に合計を付して、それらの金額を第15表の①から㉘までの該当欄に転記します。

第11表（令元.7）　（資４－20－12－１－Ａ４統一）

참고

• 일본 상속세 신고서(8)

債務及び葬式費用の明細書

被相続人	

第13表（平成30年分以降用）

1 債務の明細（この表は、被相続人の債務について、その明細と負担する人の氏名及び金額を記入します。）

債務の明細						負担することが確定した債務	
種類	細目	債権者		発生年月日	金額	負担する人の氏名	負担する金額
		氏名又は名称	住所又は所在地	弁済期限			
				・・ ・・	円		円
				・・ ・・			
				・・ ・・			
				・・ ・・			
				・・ ・・			
				・・ ・・			
合計							

2 葬式費用の明細（この表は、被相続人の葬式に要した費用について、その明細と負担する人の氏名及び金額を記入します。）

葬式費用の明細				負担することが確定した葬式費用	
支払先		支払年月日	金額	負担する人の氏名	負担する金額
氏名又は名称	住所又は所在地				
		・・	円		円
		・・			
		・・			
		・・			
		・・			
		・・			
合計					

3 債務及び葬式費用の合計額

債務などを承継した人の氏名			（各人の合計）				
債務	負担することが確定した債務	①	円	円	円	円	円
	負担することが確定していない債務	②					
	計（①＋②）	③					
葬式費用	負担することが確定した葬式費用	④					
	負担することが確定していない葬式費用	⑤					
	計（④＋⑤）	⑥					
合計（③＋⑥）		⑦					

（注）1 各人の⑦欄の金額を第1表のその人の「債務及び葬式費用の金額③」欄に転記します。
2 ③、⑥及び⑦欄の金額を第15表の㉟、㊱及び㊲欄にそれぞれ転記します。

第13表（令元.7）　（資4－20－14－A4統一）

참고

• 일본 상속세 신고서(9)

純資産価額に加算される暦年課税分の贈与財産価額及び特定贈与財産価額
出資持分の定めのない法人などに遺贈した財産
特定の公益法人などに寄附した相続財産・特定公益信託のために支出した相続財産
の明細書

被相続人	

第14表（平成31年4月分以降用）

1 純資産価額に加算される暦年課税分の贈与財産価額及び特定贈与財産価額の明細

この表は、相続、遺贈や相続時精算課税に係る贈与によって財産を取得した人(注)が、その相続開始前3年以内に被相続人から暦年課税に係る贈与によって取得した財産がある場合に記入します。

(注) 被相続人から租税特別措置法第70条の2の2（直系尊属から教育資金の一括贈与を受けた場合の贈与税の非課税）第10項第2号に規定する管理残額及び同法第70条の2の3（直系尊属から結婚・子育て資金の一括贈与を受けた場合の贈与税の非課税）第10項第2号に規定する管理残額以外の財産を取得しなかった人は除きます（相続時精算課税に係る贈与によって財産を取得している人を除きます。）。

番号	贈与を受けた人の氏名	贈与年月日	相続開始前3年以内に暦年課税に係る贈与を受けた財産の明細					② ①の価額のうち特定贈与財産の価額	③ 相続税の課税価格に加算される価額（①－②）
			種類	細目	所在場所等	数量	①価額		
1		・ ・					円	円	円
2		・ ・							
3		・ ・							
4		・ ・							

贈与を受けた人ごとの③欄の合計額	氏名	（各人の合計）				
	④金額	円	円	円	円	円

上記「②」欄において、相続開始の年に被相続人から贈与によって取得した居住用不動産や金銭の全部又は一部を特定贈与財産としている場合には、次の事項について、「（受贈配偶者）」及び「（受贈財産の番号）」の欄に所定の記入をすることにより確認します。

（受贈配偶者）　　　　（受贈財産の番号）

私［　　　］は、相続開始の年に被相続人から贈与によって取得した上記［　］の特定贈与財産の価額については贈与税の課税価格に算入します。

なお、私は、相続開始の年の前年以前に被相続人からの贈与について相続税法第21条の6第1項の規定の適用を受けていません。

(注) ④欄の金額を第1表のその人の「純資産価額に加算される暦年課税分の贈与財産価額⑤」欄及び第15表の㊵欄にそれぞれ転記します。

2 出資持分の定めのない法人などに遺贈した財産の明細

この表は、被相続人が人格のない社団又は財団や学校法人、社会福祉法人、宗教法人などの出資持分の定めのない法人に遺贈した財産のうち、相続税がかからないものの明細を記入します。

遺贈した財産の明細					出資持分の定めのない法人などの所在地、名称
種類	細目	所在場所等	数量	価額	
				円	
		合計			

3 特定の公益法人などに寄附した相続財産又は特定公益信託のために支出した相続財産の明細

私は、下記に掲げる相続財産を、相続税の申告期限までに、

(1) 国、地方公共団体又は租税特別措置法施行令第40条の3に規定する法人に対して寄附をしましたので、租税特別措置法第70条第1項の規定の適用を受けます。

(2) 租税特別措置法施行令第40条の4第3項の要件に該当する特定公益信託の信託財産とするために支出しましたので、租税特別措置法第70条第3項の規定の適用を受けます。

(3) 特定非営利活動促進法第2条第3項に規定する認定特定非営利活動法人に対して寄附をしましたので、租税特別措置法第70条第10項の規定の適用を受けます。

寄附（支出）年月日	寄附（支出）した財産の明細					公益法人等の所在地・名称（公益信託の受託者及び名称）	寄附（支出）をした相続人等の氏名
	種類	細目	所在場所等	数量	価額		
・ ・					円		
・ ・							
			合計				

(注) この特例の適用を受ける場合には、期限内申告書に一定の受領書、証明書類等の添付が必要です。

第14表（令元.7）　　　　（資4－20－15－A4統一）

- 일본 상속세 신고서(10)

■ **相続財産の種類別価額表**（この表は、第11表から第14表までの記載に基づいて記入します。）　F D 3 5 3 7 ■

第15表（平成30年分以降用）

○この申告書は機械で読み取りますので、黒ボールペンで記入してください。

（単位は円）

種類	細目	番号	被相続人 / 各人の合計	（氏名）
※	整理番号		被相続人	
土地（土地の上に存する権利を含みます。）	田	①		
	畑	②		
	宅地	③		
	山林	④		
	その他の土地	⑤		
	計	⑥		
	⑥のうち特例農地等　通常価額	⑦		
	⑥のうち特例農地等　農業投資価格による価額	⑧		
家屋、構築物		⑨		
事業（農業）用財産	機械、器具、農耕具、その他の減価償却資産	⑩		
	商品、製品、半製品、原材料、農産物等	⑪		
	売掛金	⑫		
	その他の財産	⑬		
	計	⑭		
有価証券	特定同族会社の株式及び出資　配当還元方式によったもの	⑮		
	特定同族会社の株式及び出資　その他の方式によったもの	⑯		
	⑮及び⑯以外の株式及び出資	⑰		
	公債及び社債	⑱		
	証券投資信託、貸付信託の受益証券	⑲		
	計	⑳		
現金、預貯金等		㉑		
家庭用財産		㉒		
その他の財産	生命保険金等	㉓		
	退職手当金等	㉔		
	立木	㉕		
	その他	㉖		
	計	㉗		
合計（⑥＋⑨＋⑭＋⑳＋㉑＋㉒＋㉗）		㉘		
相続時精算課税適用財産の価額		㉙		
不動産等の価額（⑥＋⑨＋⑩＋⑮＋⑯＋㉕）		㉚		
⑯のうち株式等納税猶予対象の株式等の価額の80％の額		㉛		
⑰のうち株式等納税猶予対象の株式等の価額の80％の額		㉜		
⑯のうち特例株式等納税猶予対象の株式等の価額		㉝		
⑰のうち特例株式等納税猶予対象の株式等の価額		㉞		
債務等	債務	㉟		
	葬式費用	㊱		
	合計（㉟＋㊱）	㊲		
差引純資産価額（㉘＋㉙－㊲）（赤字のときは0）		㊳		
純資産価額に加算される暦年課税分の贈与財産価額		㊴		
課税価格（㊳＋㊴）（1,000円未満切捨て）		㊵	000	000

※の項目は記入する必要がありません。

※税務署整理欄	申告区分		年分		名簿番号		申告年月日		グループ番号	

第15表（令元.7）　　（資4－20－16－1－A4統一）

참고

• 상속재산분할협의서

상속재산분할협의서

20○○년 ○월 ○○일 ○○시 ○○구 ○○동 ○○ 망 □□□의 사망으로 인하여 개시된 상속에 있어 공동상속인 ○○○, ○○○, ○○○는 다음과 같이 상속재산을 분할하기로 협의한다.

1. 상속재산 중 ○○시 ○○구 ○○동 ○○ 대 300㎡는 ○○○의 소유로 한다.
1. 상속재산 중 □□시 □□구 □□동 □□ 대 200㎡는 ○○○의 소유로 한다.
1. 상속재산 중 △△시 △△구 △△동 △△ 대 100㎡는 ○○○의 소유로 한다.

위 협의를 증명하기 위하여 이 협의서 3통을 작성하고 아래와 같이 서명날인하여 그 1통씩을 각자 보유한다.

20○○년 ○월 ○○일

성 명 ○ ○ ○ (인)
주소 ○○시 ○○구 ○○길 ○○
성 명 ○ ○ ○ (인)
주소 ○○시 ○○구 ○○길 ○○
성 명 ○ ○ ○ (인)
주소 ○○시 ○○구 ○○길 ○○

참고

• 상속재산포기 심판청구서

상속재산포기 심판청구서

청 구 인(상속인)

1. 성 명 : 주민등록번호 : -
   주 소 :
   송달장소 : (전화번호:)
2. 성 명 : 주민등록번호 : -
   주 소 :
   송달장소 : (전화번호:)
3. 성 명 : 주민등록번호 : -
   주 소 :
   송달장소 : (전화번호:)

청구인 은(는) 미성년자이므로 법정대리인 부 ○ ○ ○
모 ○ ○ ○
(전화번호:)

사건본인(피상속인)

성 명 : **주민등록번호 :** -

사망일자 :

최후주소 :

참고

청 구 취 지

청구인들이 피상속인 망 의 재산상속을 포기하는 신고는 이를 수리한다.

라는 심판을 구합니다.

청 구 원 인

[1순위 상속인인 경우]

청구인들은 피상속인 망 의 재산상속인으로서 20 . . . 상속개시가 있음을 알았는바, 민법 제 1019조에 따라 재산상속을 포기하고자 이 심판청구에 이른 것입니다.

[차순위 상속인인 경우]

청구인들은 피상속인 망 의 차순위 재산상속인으로서 선순위 상속인들이 모두 상속을 포기함으로써 20 . . . 상속개시가 있음을 알았는바, 민법 제1019조에 따라 재산상속을 포기하고자 이 심판청구에 이른 것입니다.

참고

첨 부 서 류

1. 청구인들의 가족관계증명서, 주민등록등본 각 1통

2. 청구인들의 인감증명서(또는 본인서명사실확인서) 각 1통

※ 청구인이 미성년자인 경우 법정대리인(부모)의 인감증명서를 첨부함

3. 피상속인의 폐쇄가족관계등록부에 따른 기본증명서, 가족관계증명서 각 1통

4. 피상속인의 말소된 주민등록등본 1통

5. 가계도(직계비속이 아닌 경우) 1부

6. 상속재산 목록 1부

20 . . .

위 청구인 1. □□ (인감 날인)

2. □□ (인감 날인)

3. □□ (인감 날인)

청구인 은(는) 미성년자이므로

법정대리인 부 □□ (인감 날인)

모 □□ (인감 날인)

□□법원 귀중

참고

• 상속한정승인 심판청구서

상속한정승인 심판청구서

청 구 인(상속인)

1. 성 명 : 주민등록번호 : -
 주 소 :
 송달장소 : (전화번호:)

2. 성 명 : 주민등록번호 : -
 주 소 :
 송달장소 : (전화번호:)

3. 성 명 : 주민등록번호 : -
 주 소 :
 송달장소 : (전화번호:)

청구인 은(는) 미성년자이므로 법정대리인 부 □□□
모 □□□
(전화번호:)

사건본인(피상속인)

성 명 : 주민등록번호 : -

사 망 일 자 :

최 후 주 소 :

청 구 취 지

청구인(들)이 피상속인 망 의 재산상속을 함에 있어 별지 재산목록을 첨부하여 한 한정승인신고는 이를 수리한다.

라는 심판을 구합니다.

청 구 원 인

[일반한정승인 - 3개월 이내]

청구인들은 피상속인의 재산상속인으로서 20 . . . 피상속인의 사망으로 개시된 재산상속에 있어서 청구인들이 상속으로 얻은 별지목록 표시 상속재산의 한도에서 피상속인의 채무를 변제할 조건으로 상속을 승인하고자 이 심판청구에 이른 것입니다.

[특별한정승인 - 3개월 이후]

청구인들은 20 . . . 사망한 피상속인의 재산상속인으로서 처음에는 청구인들의 과실 없이 상속채무가 상속재산을 초과하는 사실을 알지 못하였으나, 20 . . .에 채권자의 변제청구(채무승계 안내문 등)를 받고서야 이를 알게 되어, 청구인들이 상속으로 인하여 얻은 별지목록 표시 상속재산의 한도에서 피상속인의 채무를 변제할 것을 조건으로 상속을 승인하고자 이 심판청구에 이른 것입니다.

참고

첨 부 서 류

1. 청구인들의 가족관계증명서, 주민등록등본 각 1통

2. 청구인들의 인감증명서(또는 본인서명사실확인서) 각 1통

※ 청구인이 미성년자인 경우 법정대리인(부모)의 인감증명서를 첨부함

3. 피상속인의 폐쇄가족관계등록부에 따른 기본증명서, 가족관계증명서 각 1통

4. 피상속인의 말소된 주민등록등본 1통

5. 가계도(직계비속이 아닌 경우) 1부

6. 상속재산 목록 1부

20 . . .

위 청구인 1. □□ (인감 날인)

2. □□ (인감 날인)

3. □□ (인감 날인)

청구인 은(는) 미성년자이므로

법정대리인 부 □□ (인감 날인)

모 □□ (인감 날인)

□□법원 귀중

참고

• 자필증서에 의한 유언증서

자필증서에 의한 유언증서

유 언 자 ○ ○ ○

19○○년 ○월 ○일생

등록기준지 ○○시 ○○구 ○○길 ○○

주소 ○○시 ○○구 ○○길 ○○(우편번호)

전화 ○○○ - ○○○○

유 언 사 항

1. 나는 다음과 같이 유언한다.

(1) 재산의 사인증여(민법 제562조 계약임, 등기원인은 "증여"가 된다) 또는 유증(민법 제1073조 단독행위임, 등기원인은 "유증"이 된다)에 관하여,

○○시 ○○동 ○○번 대지 ○○㎡는 이를 상속인 중 장남 □□□(주소: 생년월일 :)에게 증여하고,

○○시 ○○동 ○○번 대지 ○○㎡와 동 지상 철근 콘크리트조 슬라브지붕 1층 주택 건평 ○○㎡는 차남 □□□(주소:

생년월일:)에게 증여하고, 이 사인증여(또는 유증)는 나의 사망으로 인하여 효력이 발생한다.

(2) 유언집행자의 지정에 관하여

위 사인 증여계약(또는 유증)의 이행을 위하여 유언집행자로 ◇◇◇(주소: 주민등록번호:)를 지정한다.

작성일자 서기 20○○년 ○월 ○일

유 언 자 성명 ○○○ (인)

참고

• 유류분반환청구 소장

소 장

원 고 1. 이○병

서울 ○○구 ○○동 ○○아파트 107-1404

2. 이○용

45620 예일 로드 더블류 칠리왁, 비.씨. 브이2 피2 엔2 ○○○

(45620 Yale Road W. Chilliwack, B.C. V2 P2 N2 ○○○)

피 고 1. 이○훈

서울 ○○구 ○○동 ○○아파트 107-1402

2. 이○세

92 모건 애비뉴 손힐 온타리오 엘3티 1알4 ○○○

(92 Morgan Ave Thill Ontario L3T 1R4 ○○○)

대한민국 주소 : 서울 ○○구 ○○동 11-74 ○○빌라 306호

유류분반환청구의 소

청 구 취 지

1. 원고들 각자에게 피고 이○훈은 금 600,000,000원씩, 피고 이○세는 금 80,000,000원씩 및 각 이에 대한 1998. 10. 3.부터 이 사건 소장 부본 송달일까지는 연 5%의, 그 다음날부터 완제일까지는 연 12%의 비율에 의한 금원을 각 지급하라.
2. 소송비용은 피고들의 부담으로 한다.
3. 위 1항은 가집행할 수 있다.

라는 판결을 구합니다.

참고

청 구 원 인

1. 당사자들의 관계

원고들과 피고들 및 소외 ○○○은 소외 ○○○가 19xx.xx.xx 사망하여 그 재산을 공동상속한 재산상속인입니다.

2. 상속관계 및 유류분의 침해

피상속인인 소외 망 ○○○는 그의 생존시인 19xx.xx.xx 망인의 소유로서 피고들 명의로 등기되어 있던 서울 ○○구 ○○동 809-12, 13 대지를 금 10,707,000,000원에 타에 처분(그 지상건물은 피고 ○○○의 소유로서 금 1,070,000,000원에 내지와 함께 처분되었습니다.)한 다음 그 대금을 같은 해 8월경 수령하였다가 사망하기 4개월 전인 19xx.xx.xx.경 장남인 피고 ○○○에게 금 6,707,000,000원, 2남인 피고 ○○○에게 금 2,800,000,000원을 증여하였습니다. 따라서 위 증여에 의하여 원고들의 유류분이 침해당하였다고 할 것이며 피고들에 대한 반환청구 액수의 계산은 다음과 같습니다.

3. 침해된 유류분의 계산

원고들과 피고들 및 소외 ○○○ 등 각 상속인의 유류분은 원래의 상속지분 1/5×유류분1/2=1/10이고 원고들의 유류분은 10,707,000,000원 ×1/10=1,070,700,000원입니다. 따라서 원고들의 유류분 피침해액은 1,070,700,000원입니다.

피고 ○○○의 원래 상속지분은 10,707,000,000×1/5=2,141,400,000원이고, 피고 ○○○의 상속지분 초과액(유류분 침해액)은 6,707,000,000-2,141,400,000=4,565,600,000원이고 마찬가지로 피고 ○○○의 원래 상속지분은 10,707,000,000×1/5=2,141,400,000원이고 피고 ○○○의 상속지분 초과액(유류분 침해액)은 2,800,000,000원=2,141,400,000원=658,600,000원입니다.

참고

1. 갑제1호증의 1, 2 각 제적등본 각1통

1. 갑제1호증의 3 내지 7 각 호적등본 1통

1. 갑제1호증의 1, 2 각 등기부등본 1통

1. 갑제3호증 공증서 1통

1. 갑제4호증 통고서 1통

그 밖의 입증방법은 변론시 수시로 제출하겠습니다.

첨 부 서 류

1. 위 각 입증방법 각 1통

1. 소장 부본 1통

1. 송달료 납부서 1통

1. 소송위임장 1통

1999. 4. 17.

위 원고 1. ○ ○ ○ (인)

2. ○ ○ ○ (인)

위 원고들 소송대리인 ○○○ (인)

00지방법원 귀중

참고

상속 용어

□ 상속: 사람(피상속인)이 사망한 경우 그가 살아있을 때의 재산에 관한 포괄적 권리의무가 법률의 규정에 따라 특정한 사람에게 승계되는 것을 말한다. 피상속인의 일신에 전속하는 것은 승계되지 않으며, 상속인이 상속을 포기하지 않으면 채무도 승계된다.

□ 피상속인: 사망 또는 실종선고로 인하여 상속재산을 물려주는 사람을 말한다.

□ 상속인: 피상속인의 사망 또는 실종선고로 상속재산을 물려받는 사람을 말한다.

□ 직계비속: 자녀, 손자녀와 같은 관계의 혈족을 말한다.

- 직계비속은 부계, 모계를 구별하지 않기 때문에 외손자녀, 외증손자녀 등도 포함된다.
- 자연적인 혈족뿐 아니라 법률상의 혈족인 양자, 친양자와 그의 직계비속도 직계비속에 포함된다.

□ 직계존속: 부모, 조부모, 증조부모와 같은 관계의 혈족을 말한다.

- 자연적인 혈족뿐 아니라 법률상의 혈족인 양부모, 친양자와 그의 직계존속도 직계존속에 포함된다.

□ 배우자: 법률상 혼인을 맺은 사람을 말한다.

- 사실혼 관계에 있는 배우자는 상속을 받을 수 없다.

참고

□ 형제자매: 부모를 같이 하거나 부 또는 모 일방만을 같이 하는 혈족관계를 말한다.

– 자연적인 혈족뿐 아니라 법률상의 혈족인 양자관계, 친양자 관계를 통해 맺어진 형제자매도 이에 포함된다.

□ 4촌 이내의 방계혈족: 삼촌, 고모, 사촌 형제자매 등과 같은 관계의 혈족을 말한다.

□ 배우자상속인: 법률상 혼인관계에 있는 상속인인 배우자를 말한다.

– 법률상 배우자는 피상속인의 직계비속 또는 피상속인의 직계존속인 상속인이 있는 경우에는 이들과 함께 공동상속인이 되고, 피상속인의 직계비속 또는 피상속인의 직계존속인 상속인이 없는 때에는 단독으로 상속인이 된다.

□ 대습상속인: '상속인이 될 직계비속 또는 형제자매(피대습인)'가 상속개시 전에 사망하거나 결격자가 된 경우에 사망하거나 결격된 사람의 순위에 갈음하여 상속인이 되는 '피대습인의 직계비속 또는 배우자'를 말한다.

– 상속인이 될 직계비속 또는 형제자매가 상속개시 전에 사망하거나 결격자가 된 경우에 그 직계비속이나 형제자매가 있는 때에는, 그 직계비속 또는 형제자매가 사망하거나 결격된 사람의 순위에 가름하여 대습상속인이 된다.

□ 상속결격자: 법이 정한 상속순위에 해당하지만, 일정한 이유로 상

참고

속을 받지 못하는 사람을 말한다.

- 고의로 직계존속, 피상속인, 그 배우자 또는 상속의 선순위나 동순위에 있는 사람을 살해하거나 살해하려 한 사람 등은 상속인이 될 수 없다.

□ 참칭상속인: 정당한 상속권이 없음에도 재산상속인인 것을 신뢰케 하는 외관을 갖추고 있는 자나, 상속인이라고 참칭하여 상속재산의 전부 또는 일부를 점유하는 자를 말한다.

□ 실종선고: 부재자의 생사가 5년간 분명하지 않은 때에 이해관계인이나 검사의 청구에 의하여 가정법원이 행하는 심판을 말한다.

□ 상속분: 2명 이상의 상속인이 공동으로 상속재산을 승계하는 경우에 각 상속인이 자신의 상속분만큼의 상속재산을 승계할 몫을 말한다.

□ 특별수익: 재산의 증여 또는 유증을 통해 공동상속인에게 증여 또는 유증으로 이전한 재산을 말한다.

□ 특별수익자: 공동상속인 중 피상속인으로부터 재산 증여 또는 유증을 받은 사람을 말한다.

□ 기여자: 공동상속인 중 상당한 기간 동거, 간호 그 밖의 방법으로 피상속인을 특별히 부양하거나 피상속인의 재산 유지 또는 증가에 특별히 기여한 사람을 말한다.

참고

- 기여분: 공동상속인 중 상당한 기간 동거, 간호 그 밖의 방법으로 특별히 부양하거나 피상속인의 재산 유지 또는 증가에 특별히 기여한 사람에게 상속재산으로부터 사후적으로 보상해주기 위해 인정되는 상속분을 말한다.

- 유류분: 사망자의 유언, 사전 증여와 상관없이 상속이 개시되면 특정 상속인이 상속재산 중 일정비율에 대하여 법률상 받을 수 있도록 보장된 상속재산의 일부분으로 유언이나 유서보다도 앞서는 권리이다.
  - 민법은 유언을 통한 재산처분의 자유를 인정하고 있으므로, 피상속인이 유언으로 타인이나 상속인 일부에게만 유증을 하면 상속인에게 상속재산이 이전되지 않을 수 있다. 그러나 상속재산처분의 자유를 무제한적으로 인정하게 되면 가족생활의 안정을 해치고, 피상속인의 사망 후 상속인의 생활보장이 침해된다. 이러한 불합리를 막고 상속인의 생활을 보장하기 위해 민법은 유류분제도를 인정하고 있다. 따라서 유류분 분쟁을 방지하기 위해서는 유류분을 감안하여 증여 또는 유언을 하는 것이 바람직하다.

- 상속포기: 상속인의 지위를 포기하는 것으로, 재산과 빚 모두 물려받지 않겠다는 것이다.
  - 상속포기 신고는 상속 개시가 있음을 안 날로부터 3개월 이내에 가정법원에 해야 한다.

참고

- 한정승인: 상속인이 상속에 의하여 취득한 재산 한도 내에서만 피상속인의 채무와 유증을 변제하는 상속 또는 그와 같은 조건으로 상속을 승인하는 것이다.
  - 한정승인은 상속 개시가 있음을 안 날로부터 3개월 이내에 가정법원에 해야 한다.

- 유언: 사람이 삶의 아름다운 마무리를 위하여 그가 죽은 뒤의 법률관계를 정하려는 생전의 최종적 의사표시를 말한다. 법적인 의미의 유언이란, 유언자가 유언능력을 갖추고 법적 사항에 대해 엄격한 방식에 따라 하는 행위를 말한다.
  - 유언에 엄격한 방식을 요하는 것은 유언자의 진정한 의사를 명확히 하여 법적 분쟁과 혼란을 예방하기 위한 것이므로, 법이 정한 요건과 방식에 어긋난 유언은 그것이 유언자의 진정한 의사에 합치하더라도 유언으로서의 효력이 없다.

- 유언법정주의: 유언은 법정사항, 즉 법률로 정한 일정한 사항에 한해서 할 수 있는 행위이다.
  - 민법에서 정한 유언사항에는 가족관계, 재산의 처분, 상속, 유언의 집행에 관한 사항에 한해 할 수 있다.

- 녹음에 의한 유언: 유언자가 유언의 취지, 그 성명과 연월일을 구술하고 이에 참여한 증인이 유언의 정확함과 그 성명을 구술하는 방식의 유언을 말한다.

참고

□ 공정증서에 의한 유언: 유언자가 증인 2명이 참여한 공증인의 면전에서 유언의 취지를 구수하고 공증인이 이를 필기낭독하여 유언자와 증인이 그 정확함을 승인한 후 각자 서명 또는 기명날인하는 방식의 유언을 말한다.

- 공정증서란 일반적으로 공무원이 직무상 작성하는 공문서 중 권리의무에 관한 사실을 증명하는 효력을 갖는 것을 말한다.
- 공증인이란 공증에 관한 직무를 수행할 수 있도록 법무부장관으로부터 임명을 받은 사람과 법무부장관으로부터 공증인가를 받은 법무법인 등을 말한다.

□ 비밀증서에 의한 유언: 유언자가 필자의 성명을 기입한 증서를 엄봉날인하고 이를 2명 이상의 증인의 면전에 제출하여 자기의 유언서임을 표시한 후 그 봉서표면에 제출 연월일을 기재하고 유언자와 증인이 각자 서명 또는 기명날인하는 방식의 유언을 말한다.

□ 구수증서에 의한 유언: 질병 그 밖에 급박한 사유로 인하여 다른 방식에 따라 유언할 수 없는 경우에 유언자가 2명 이상의 증인 참여로 그 1명에게 유언의 취지를 구수하고, 그 구수를 받은 자가 이를 필기낭독하여 유언자의 증인이 그 정확함을 승인한 후 각자 서명 또는 기명날인하는 방식의 유언을 말한다.

□ 유언자의 검인: 유언자의 최종의사를 확실하게 보존하고 그 내용을 이해관계인이 확실히 알 수 있도록 자필증서유언, 녹음유언, 비밀증서유언의 경우에 법원이 유언방식에 관한 모든 사실을 조

참고

사한 후 이를 확정하는 것을 말한다.

- 확정일자: 증서에 대하여 그 작성한 일자에 관한 완전한 증거가 될 수 있는 것으로 법률상 인정되는 일자를 말하며, 당사자가 나중에 변경하는 것이 불가능한 확정된 일자를 가리킨다.

- 급박한 사유: 사망이 시간적으로 가까운 경우로서, 질병 등으로 위독한 상태를 말하며 본인이나 증인 그 밖에 주위 사람에 의해 위독하다고 판단되는 경우를 말한다.

- 유언의 철회: 유언의 효력이 확정적으로 발생하기 전, 즉 유언자가 사망하기 전에 유언자 자신이 이미 행한 유언을 없었던 것으로 하는 유언자의 일방적인 행위를 말한다.

- 유언에 정지조건이 있는 경우: 유언을 할 때 유언의 효력 발생이 장래의 불확실한 사실에 의존하게 하는 조건(즉, 정지조건)을 두는 경우를 말한다.

- 유언의 무효: 민법이 정한 방식을 갖추지 않은 유언, 17세 미만의 사람 또는 의사능력이 없는 사람의 유언, 사회질서, 강행법규에 위반한 유언 등의 사유로 인해 유언의 효력이 처음부터 발생하지 않는 것을 말한다.

- 유언의 취소: 유언의 의사표시가 착오 또는 사기, 강박에 의한 경우 등으로 민법에서 정한 취소사유가 발생한 경우 이미 발생한 유언의 효력을 소급적으로 무효로 만드는 것을 말한다.

참고

- 유언의 집행: 유언자의 사망 후 유언의 내용을 실현하는 절차를 말한다.
- 유언집행자: 유언의 효력이 발생한 후에 그 내용을 실현하는 사람을 말하며, 유언자는 유언으로 유언집행자를 지정할 수 있고 그 지정을 제3자에게 위탁할 수 있다.
  - 유언집행자가 지정되지 않은 경우에는 상속인이 유언집행자가 된다.
- 미성년자: 만 19세 미만의 사람을 말한다.
- 피한정후견인: 질병, 장애, 노력 그 밖의 사유로 인한 정신적 제약으로 사무를 처리할 능력이 부족하여 가정법원의 한정후견개시의 심판을 받은 사람을 말한다.
- 친생부인: 친생추정을 받는 자녀(민법 제844조)가 있는 경우, 그 자녀가 친생자가 아님을 표시하는 것을 말한다.
  - 친생부인을 민법상 소로써만 가능하다.
- 인지: 혼인 외의 출생자에 대해 생부 또는 생모가 자기의 아이라고 인정하거나 재판에 의해 부 또는 모임을 확인함으로써 그들 사이에 법률상의 친자관계를 형성하는 것을 말한다.
- 후견인: 친권자가 없는 미성년자나 친권에 의한 보호를 받지 못하는 무능력자의 법률행위를 대리하는 법정대리인을 말한다.

참고

- 신탁: 신탁설정자(위탁자)와 신탁을 인수하는 자(수탁자)의 특별한 신임관계에 기하여 위탁자가 특정의 재산권을 수탁자에게 이전하거나 그 밖의 처분을 하고 수탁자로 하여금 일정한 자(수익자)의 이익을 위하여 또는 특정의 목적을 위하여 그 재산권을 관리, 처분하게 하는 법률관계를 말한다.

- 유증: 유언으로 아무런 대가를 받지 않고 자기의 재산상 이익을 타인(상속인이 아닌 자를 포함)에게 주는 것을 말한다. 증여자의 사망으로 효력이 발생한다.

- 사인증여: 증여자의 사망으로 인해 효력이 생기는 증여계약을 말한다.

- 포괄유증: 유증의 목적 범위를 유증자가 자기의 재산 전체에 대한 비율로써 표시하는 유증을 말한다.

- 특정유증: 유증의 목적이 특정되어 있는 경우를 말한다.

- 조건: 법률행위의 효력의 발생 또는 소멸을 장래의 불확실한 사실의 성부에 의존하게 하는 법률행위의 부관을 말한다.

- 기한: 법률행위의 당사자가 그 효력의 발생, 소멸 또는 채무의 이행을 장래에 발생하는 것이 확실한 사실에 의존하게 하는 부관을 말한다.

- 부담부 유증: 유언자가 유증을 할 때 수증자에게 '내 사후에 내

참고

아들을 돌보면 특정 부동산을 주겠다'와 같이 일정한 법률상의 의무를 지우는 유증을 말한다.

– 부담있는 유증을 받은 사람은 유증 목적의 가액을 초과하지 않는 한도에서 부담한 의무를 이행할 책임이 있다.

□ 수증자: 유증을 받는 사람, 즉 유증으로 이익을 얻게 되는 사람을 말한다. 수증자는 자연인뿐만 아니라 법인도 가능하다.

□ 상속순위: 민법 제1000조에서 정한 상속을 받을 순위를 말하며, 구체적으로 다음과 같다.

제1순위: 피상속인의 직계비속 + 피상속인의 배우자
제2순위: 피상속인의 직계존속 + 피상속인의 배우자
제3순위: 피상속인의 형제자매
제4순위: 피상속인의 4촌 이내의 방계혈족

* 피상속인의 배우자는 위 제1순위나 제2순위 상속인이 있을 경우에는 그 상속인과 공동상속인이 되고, 없는 때에는 단독상속인이 된다.

* 같은 순위의 상속인이 여러 명인 때에는 가장 근친을 선순위로 하고[예: 부모(1촌)와 조부모(2촌) 중에는 부모가 선순위], 같은 친등(親等)의 상속인이 여러 명인 때에는 공동상속인이 된다.

* 위 외에도 누가 상속인이 되는지, 상속분은 어떻게 되는지에 대해서는 그동안 여러 차례 관련 법률이 개정되었고, 다양한 요인을 감안하여야 하므로(태아의 상속순위, 대습상속 등) 관련 법률에서 참조할 수 있다.

저자소개

최세영 세무사

- 서강대학교 경영학과 졸업
- 명지대 부동산대학원 수료(경매과정)
- 강동세무서 납세자보호위원
- 잠실세무서 정보공개심의위원
- 한국세무사고시회 국제부회장
- 서울시 공익감사단 위원
- 서울시 지방보조금심의위원회위원
- 한국세무사회 국제협력위원
- 한국세무사고시회 국제 · 세무사제도 센터장
- 한일세무사친선협회 사무국장
- 세무법인 위드플러스 대표이사

주요저서

「너만 몰랐던 지출증빙실무」

「아버지는 몰랐던 상속분쟁」

「Start up start now」

「혼자서 터득하는 원천징수와 4대보험 업무 가이드」

「부동산 팔까 말까 동순이의 산소 같은 절세노하우」

신재봉 참사관

- 성균관대학교 경제학과 졸업
- 홍천세무서 세원관리과장
- 재정경제부 세제실 eitc기획단
- 국세청 종합부동산세과
- 국세청 첨단탈세방지센터
- 국세청 조사국 조사기획과 아산세무서장
- 주일본국대한민국대사관 참사관(국세)

박창현 세무사

- 홍익대학교 무역학과 졸업
- 국세청 국세법령정보시스템 국세해설용역 수행
- 더존비즈스쿨 양도 · 상속 · 증여세 강사
- 더존 평생직업교육학원 양도소득세 강사
- 삼일인포마인 양도소득세 전문상담위원
- 서울시 마을세무사
- 네이버 전문상담세무사
- 서초세무서 국선세무대리인
- 세무법인 위드플러스 이사

주요저서

「실제신고서류를 반영한 양도소득세 실무」

「부동산 팔까 말까 동순이의 산소 같은 절세노하우」

「부동산 중개 및 주택 절세방안」

저자소개

조덕희 세무사

- 건국대학교 경영학과 졸업
- 숭실대학교 경영대학원 졸업 (경영학석사)
- EY한영회계법인
- 국세청장 표창수상
- 용산세무사 영세납세자지원단
- 서울시 양재동 마을세무사
- 서울시 서초구청 OK상담위원
- 수원시청 시민감사관
- 한국세무사고시회 국제이사
- 서울지방세무사회 연수위원
- 한국세무사회 국제협력위원
- 세무법인 위드플러스 이사

주요저서

「Start up start now」

「혼자서 터득하는 부가가치세 신고실무 가이드」

최현윤 변호사

- 연세대학교 법과대학
- 중앙대학교 법학전문대학원
- 일본 법률사무소 바스코다가마 연수
- 일본 법률사무소 유아사&하라 연수
- 초이스법률사무소 대표변호사
- 대법원 · 서울중앙지방법원 등 국선변호사
- 대한변호사협회 법제연구위원회 위원
- 대한변호사협회 등록 중개변호사
- 서울출입국관리사무소 등록 출입국 민원 대행기관
- 서울중앙지방법원 민사조정위원 등

정옥선 세리사

- 일본 전국청년세리사연맹 국제교류 특별위원회 위원장
- 일본 전국청년세리사연맹 국제부장
- 일본 전국청년세리사연맹 국제부 이사
- 일본 나고야세리사회 이사
- 일본 나고야세리사회 나고야중지부 부지부장
- 일본 일한우호세리사연맹 상무이사
- 세리사법인 SEAST management 공동대표

주요저서

「상해 한국세무사법」

(공저)／공익재단 일본세무연구센터